Cómo escribir diálogos

Cómo escribir diálogos

El arte de desarrollar el diálogo en la novela o el cuento

ALBA EDITORIAL, s.l.u.

 Guías del escritor

© Silvia Adela Kohan, 2000

© de esta edición: ALBA EDITORIAL, S.L.U.
Camps i Fabrés, 3-11, 4.º
08006 Barcelona

© Diseño: Pepe Moll

Primera edición: septiembre de 2000
Segunda edición: noviembre de 2001

ISBN: 84-8428-050-0
Depósito legal: B-46 278-01

Impresión: Liberdúplex, s.l.
Constitución, 19
08014 Barcelona

Impreso en España

Sumario

Introducción

1 **El diálogo narrativo**

Qué es. Características. Constitución. Condiciones ineludibles. Funciones del diálogo. Otras operaciones que permite el diálogo.

2 **Clases de diálogo**

Discurso directo. Discurso indirecto. Discurso libre. Combinaciones y variantes. El monólogo. El soliloquio. El diálogo en cine y teatro. Mezcla de géneros.

3 **Formas de representación de los diálogos**

Las formas clásicas. La puntuación correcta. Usos de las comillas. Los matices expresivos. Sin el verbo *decir*.

4 **El arte del inciso**

Los objetivos. El uso adecuado del inciso. Colocar el inciso. Variantes del verbo *decir*. Ampliar el efecto. Otras modalidades de diálogo.

5 **Los recursos lingüísticos**

Quién habla. Cómo habla. Modismos. Jergas. La expresión adecuada.

6 **El personaje se muestra**

La voz identificable. La voz única. Varias voces. El paso previo. Dice y es. El idiolecto. A qué mundo pertenece. El sentido de sus palabras. La ficha y el esquema de relaciones. La voz de los secundarios. El interlocutor.

7 *¿Diálogo o narrador?*

Quién ostenta el poder en el texto. El grado de intervención. Contraste entre las modalidades. Usar el narrador más adecuado. Cómo lo empleamos.

8 *Tema, lugar y diálogo*

Cada situación implica un tema. Enfoques del tema. El estereotipo. Una prueba. El lugar.

9 *¿Herramienta o trampa?*

Beneficios. Riesgos: los problemas más comunes. Diálogo elocuente *versus* diálogo pobre. Catorce pasos a seguir. Comprobar si un diálogo es el adecuado.

Introducción

Somos seres que hablan, por lo tanto, poder ocupar el lugar de otros seres y reponer sus palabras en el vacío de la página es tentador. En este sentido, escribir diálogos es entrar en contacto con lo más propio del hombre. Pero atención, si hacemos hablar a otros, ese decir debe tener un sentido y un equilibrio para que puedan ser escuchados. Presentar un personaje hablando de determinada manera evoca en el lector una forma de ser concreta y, si el autor es lo suficientemente hábil, ni siquiera necesita describirlo física o mentalmente para definirlo. Como parte de la trama del cuento o la novela es revelador.

Sin duda, lo que debemos tener bien claro es qué pretendemos con un diálogo. Para ello, es necesario conocer a fondo sus variantes, sus funciones y qué tipo de estrategias facilita.

Cuándo conviene emplear el diálogo en una novela o en cualquier clase de relato y cómo trabajar los parlamentos para conseguir un diálogo eficaz son los temas que trata este libro.

El diálogo narrativo

El diálogo bien construido es una de las formas narrativas más creíbles para el lector, porque en apariencia no presenta intermediarios, y una de las más sugestivas, porque provoca la curiosidad. Permite «escuchar» las voces de los personajes y asistir a una conversación sin que sus protagonistas se percaten de nuestra presencia: es como estar entre ellos sin ser visto.

Como estrategia literaria, es una de las más eficaces y, a la vez, una de las más difíciles de lograr. Gracias al diálogo, los personajes expresan lo que no podrían expresar mediante otra técnica. En el cuento, el diálogo es una herramienta para definir a un personaje; en la novela, contribuye al dinamismo general. Además, revela cómo son los interlocutores y ofrece datos de los personajes restantes y del entorno a través de lo que de ellos dicen los hablantes.

Un buen diálogo hace creer en esas voces como si se tratase de las de personas reales, siempre y cuando estén bien diferenciadas entre sí, la entonación sea la adecuada y transmitan una información precisa. En ese caso, podremos concluir: porque habla, un personaje existe.

Qué es

Etimológicamente, diálogo deriva del griego *diálogos*, que equivale a conversación. Es el intercambio discursivo entre dos o más personajes que alternan sus voces, su papel de emisores y receptores, emitiendo mensajes. Es decir, al ser un discurso directo, el diálogo exige la réplica de un interlocutor explícito (o implícito en ciertos usos modernos del diálogo). Es la forma narrativa que presenta la mayor coincidencia entre lo dicho y la duración temporal de lo dicho. Sin embargo, como imitación del lenguaje conversacional puesto en boca de los personajes no es una imitación literal, sino elaborada. El diálogo se puede combinar con la narración y la descripción.

Históricamente, el diálogo es la base del género teatral, pero empleado en cualquier tipo de ficción narrativa ha resultado ser uno de los mecanismos para eliminar o limitar la presencia del narrador y potenciar la presencia del personaje.

Características

El diálogo presenta el acontecer a través de las voces de los personajes, por lo cual es una forma de narración que se vincula al cine y al teatro. En sentido estricto, el diálogo es el enfrentamiento (en el que pueden coincidir o no) entre dos visiones (o dos interlocutores) participantes de una situación o una escena. Ambos interlocutores deben ser necesarios y complementarse para constituir la estructura del diálogo y hacer progresar la trama.

Las características principales y ventajas del diálogo son las siguientes:

- El narrador desaparece y deja que los personajes hablen por su cuenta.
- Los propios personajes informan sobre la situación, el conflicto, la acción del relato.
- El lector conoce directamente a los personajes, a través de sus palabras y sus formas de expresión.
- Es la forma narrativa más cercana al lector.

Constitución

El diálogo es una estructura abierta, no concluyente, constituida por:

a) Parlamentos: son las palabras directas de los personajes que pueden ser dos (un locutor y un interlocutor) o más.

b) Incisos: son aclaraciones del narrador. Se colocan detrás de un guión y sirven para situar a los personajes en la escena, para señalar reacciones provenientes de su pensamiento, de sus sentimientos o su conciencia o para marcar un gesto o una acción mientras hablan.

Ejemplo:

–Me niego a verlo –dijo él dando un portazo.
   parlamento   inciso

Condiciones ineludibles

Hay una serie de condiciones para que el diálogo se produzca y sea eficaz. Son las siguientes:

Intencionalidad

Intencionalidad es la motivación que conduce a una frase. Todo lo que dicen nuestros personajes proviene de una intencionalidad determinada. Hablan para decir algo más de lo que dicen y al hacerlo aportan un matiz a su historia, un dato al momento conflictivo, o no, que atraviesan. Sus palabras van ligadas a su personalidad, al contexto y a la situación vivida y pretenden provocar una variante en el curso de los acontecimientos.

Las palabras puestas en boca de nuestros personajes deben tener una justificación. Por ejemplo, si alguien dice «me duele la cabeza», su intención podría ser: mostrarse como un ser debilitado, llamar la atención de otro personaje para que cambie su relación, no participar en una escena, anticipar un determinado desenlace, denunciar un entorno contaminado, etcétera. Si dice: «Me duele la cabeza, te lo aseguro», se está agregando un refuerzo cuya intención es demostrar que el otro interlocutor desconfía.

Precisión

Las palabras que ponemos en boca de nuestros personajes han de estar pensadas cuidadosamente. Esta noción se vincula a la de exactitud –la palabra empleada debe tener un significado exacto–; a la de cantidad –no debemos agregar palabras innecesarias– y a la de riqueza léxica –nos conviene recurrir al diccionario de sinónimos y no movernos dentro del pobre territorio de palabras repetidas o de las gastadas por el uso.

Naturalidad

Debe sonar natural a los oídos del lector que, más que leerla, escucha mentalmente la conversación de los implicados en la misma. ¿Por qué son tan buenos los diálogos que escriben Ernest Hemingway o Isaac Asimov? Porque no resultan forzados, son absolutamente creíbles y no presentan florituras de ninguna clase: su condición primordial es la naturalidad.

Fluidez

El diálogo debe ser fluido, ha de tener un ritmo propio, como lo tiene la poesía, por ejemplo. Una perfecta adecuación de lo coloquial a lo literario debe complementarse con una perfecta adecuación literaria a lo coloquial. Este ritmo no tiene la misma velocidad en todos los diálogos, la fluidez está ligada indefectiblemente al tipo de situación representada. Raymond Chandler trabaja este aspecto con maestría. Una de las situaciones más rápidas, más ágiles, es la del interrogatorio del relato policial, que supone una gran economía de lenguaje pues el interrogado suele responder con un extracto de lo que sabe.

Coherencia

Hemos de estar atentos a la caracterización de nuestros personajes para que el diálogo resulte coherente. Si son campesinos, podremos recurrir al lenguaje rural, como hace Miguel Delibes; si hemos diseñado uno de ellos de tal forma que tenga tendencia a la dispersión, en determinados momentos tendremos que introducir sus digresiones. Ocupen el lugar que ocupen en el mundo narrado, sean protagonistas o figurantes, lo importante es conseguir que los personajes se expresen de acuerdo con su personalidad. No se puede hacer hablar a un presentador de televisión como a un boxeador, por ejemplo, si deseamos que el diálogo informe sobre las características del personaje.

También hay que considerar la carga emocional correspondiente; así el personaje deberá utilizar las formas verbales adecuadas para aliviar su propia tensión o recalcar una idea. Si está realmente furioso, no se conformará con un «¡qué rabia!» o «¡mira, tú!»; una reacción poco coherente con su estado anímico proporcionará un mensaje ambiguo al lector.

Poder de sugerencia

Durante el intercambio de parlamentos entre dos o más interlocutores, el diálogo debe abrir una incógnita, lo cual se puede traducir como capacidad de revelación. En este sentido, los escritores minimalistas, como Raymond Carver, saben hacerlo muy bien; Henry James, por ejemplo, emplea el diálogo para dar a conocer el «quid» de la novela, lo no dicho directamente.

Además, el diálogo debe ser significativo, revelar la personalidad del hablante.

Verismo

Se considera que el diálogo representa de un modo clarísimo la identidad entre la narración fabulada y el tiempo del discurso, aunque hay casos en que el diálogo parece ser más breve que el real y otros parecen durar más tiempo del posible en la realidad y su veracidad resulta perjudicada. En el primer caso, el lector trata de deducir lo que falta a medida que transcurre la fábula, y en el segundo, es posible que se salte líneas de diálogo para enterarse de qué pasa. Un diálogo veraz por excelencia es el que desarrolla Miguel de Cervantes en *Don Quijote de la Mancha*.

Interacción

Las palabras que dice un personaje dependen, crecen, cambian en relación directa con las que dice otro personaje. Es tan importante lo que dice el locutor como el interlocutor y uno depende del otro. Coincidimos con Oswald Ducrot que dice: «El examen de los diálogos efectivos demuestra que el encadenamiento de las réplicas se apoya menos en "lo que dijo" el locutor que en las intenciones que, según el destinatario, lo habrían llevado a decir lo que dijo. A "parece que esta película es interesante" (p) se responde con "ya fui a verla" (q), porque se supone, por ejemplo, que se dice p a fin de proponer ir a ver la película, y que q da un motivo para no ir».

Por lo tanto, debemos establecer un equilibrio entre los parlamentos de los interlocutores. La desconexión de sentido entre ellos origina una sucesión de monólogos en lugar de un diálogo.

Continuidad

La continuidad va ligada a la progresión narrativa. Cada frase es un mensaje que envía el que habla al que le escucha; la respuesta de este último surge como una consecuencia de aquél y, al mismo tiempo, esta respuesta va a afectar al que habló antes y al que hablará después, y así sucesivamente. El estímulo entre unos y otros es recíproco y constituye la continuidad narrativa.

Debemos establecer un hilo de continuidad entre los diálogos y atender a dos hebras principales:

1) Los estados de ánimo de los personajes y sus variaciones dibujan una determinada curva.

2) Se ha de tener claro en qué escena y en qué momento de la misma se establecen los puntos culminantes, el clímax, que deben ser destacados de manera conveniente.

> Un diálogo puede ser ambiguo (alude a algo que no se dice directamente), pero nunca confuso. A la vez, si no hay una intencionalidad, debemos evitar los refuerzos explicativos.

Funciones del diálogo

El diálogo es una forma de presentación e indica la relación entre los personajes; por lo tanto, son varias las funciones que cumple en una narración. No las cumple todas obligatoriamente, pero al escribirlo podemos recurrir a una de ellas o a varias a la vez. Básicamente, son las siguientes:

Configura escenas

Presenta una escena del conflicto o de la situación de un modo vivo, inmediato, en lugar del relato mediatizado por el narrador, lo cual puede contribuir a reforzar el suspense al poner al lector en contacto directo con los actores del drama cuando dicen qué les pasa o qué sienten, y esa acción o esa sensación indica, por ejemplo, un peligro, una inquietud, una ruptura de lo normal.

Aporta información

Si transcribimos un diálogo es porque algo queremos contar usando esa conversación, en forma más ágil y directa que mediante un fragmento narrativo. A medida que los parlamentos se suceden, se percibe que los personajes (y el lector) saben algo más.

Un recurso muy común entre determinados escritores del pasado era, en lugar de mostrarnos la acción, situarnos ante dos personajes: uno asiste a ella, el otro no. El primero le cuenta al segundo lo que ocurre. Lo hacían en el teatro porque no podían poner en escena a dos ejércitos, por ejemplo, y entonces un criado le contaba a su señor desde lo alto de una torre lo que ocurría en el campo de batalla. Un recurso similar es el de utilizar un diálogo para que el lector se entere de acontecimientos que han tenido lugar antes de que se inicie el relato. Esto no es peligroso cuando uno de los interlocutores desconoce lo que el otro le está contando. Pero si todos están al corriente de los hechos, conviene darlos por sabidos y desarrollar el diálogo directamente, insinuando algunos detalles que permitan adivinar el resto.

La solución puede ser dar la información poco a poco, como ofreciendo pinceladas, o insertar, en mitad del relato una carta de un informante, un fragmento de un supuesto libro donde se comenten esos hechos, como hace Isaac Asimov con las citas de la *Enciclopedia Galáctica*.

Forma parte de la trama del cuento o del capítulo de una novela

Los diferentes parlamentos, la forma, el momento y el lugar en que se dicen, influyen y provocan determinados efectos en la constitución y articulación del argumento.

Define un personaje

Es un recurso más efectivo que cualquier otro para dar vida a los personajes. Presenta de una forma clara y fácilmente asimilable los aspectos que se desean destacar. Muestra al personaje como una entidad completa: muestra algo acerca de su pasado, de sus actuales acciones y de sus futuras esperanzas.

Actúa como hilo conductor del acontecimiento principal

Los personajes cambian en el transcurso del diálogo y lo demuestran mediante la serie de parlamentos. Por ejemplo, al principio temen al enemigo; al final, saben cómo escabullirse y dominarlo. En *La montaña mágica*, de Thomas Mann, se puede seguir el proceso de búsqueda del protagonista gracias a las conversaciones de los personajes.

Indica los nudos argumentales

Condensa ciertos nudos del relato cuando la información principal está esparcida a lo largo de tantas páginas que el lector los pierde de vista. Entonces, mediante el diálogo se pueden reforzar estos puntos de un modo sintético y claro.

Reemplaza la acción o la representa

Un buen diálogo puede conmocionar tanto como un combate o como una escena de amor. Lo ha demostrado

Raymond Chandler, cuyos personajes utilizan el diálogo como arma cuando no tienen a mano o no pueden usar una pistola. Las réplicas y contrarréplicas de su detective Marlowe, casi a ritmo de ametralladora, son siempre ingeniosas y vibrantes.

Impulsa el relato

Si llegamos a un punto en que la narración se hace lenta, densa, se detiene debido a que la voz narrativa empleada no se puede sostener durante muchas páginas porque podría resultar monótona, recurrir al diálogo es un modo de superar este obstáculo, siempre y cuando encontremos la justificación para que los personajes «hablen». En *Don Quijote de la Mancha,* la monotonía del constante peregrinar de Don Quijote y Sancho avanza y es matizada por el diálogo; a veces lento y expresado en largos parlamentos, a veces veloz, matizado por interrupciones y preguntas.

Libera al ojo de una narración demasiado llana

Ésta es una cuestión referida al aspecto gráfico de la página, al juego entre página llena y espacios en blanco, que también debemos considerar según las características de nuestra novela.

Complementa una acción

Como complemento de una acción, el diálogo sirve para muchas más cosas. Entre ellas:

- Marcar el ritmo de la acción (acelerar o ralentizar).
- Establecer un nivel dramático más o menos exagerado.
- Hacer odioso o entrañable al ejecutor de la acción.

· Tensionar o relajar al lector: crear todo tipo de emociones, sensaciones y matices, como atemorizar, aterrorizar, engatusar, convencer, etcétera.

Provee de pistas al lector

Advierte, promete, anticipa, siembra indicios que mantienen viva la curiosidad del lector y lo hacen cómplice de una situación a la que él «asiste».

Debemos tener claro qué es lo que le queremos pedir al diálogo y cómo debe hacerlo. Que haga de narrador, que defina los personajes, los ambientes o todo a la vez. También debemos definir cuáles son los recursos formales que nos ayudarán a lograr estos fines.

Otras operaciones que permite el diálogo

No hay que recurrir al diálogo como una solución fácil o una estrategia cómoda; son muchas las posibilidades que nos ofrecen las palabras de los personajes «en voz alta» y en forma inmediata, pero la atracción que ejerce debe ir unida a la clara razón de su necesidad.

¿Cuáles son estas posibilidades? ¿Con qué objetivo podemos elegir narrar a través del diálogo? A continuación, algunos de ellos:

Cambiar el ritmo en una novela

Después de los párrafos descriptivos o de la larga exposición de las acciones, introducir el diálogo nos puede permitir reconducir la atención del lector.

Revelar algo a través de los parlamentos

Los momentos clave del relato, cuando se desarrollan los nudos que sostienen el argumento, pueden concentrarse en el diálogo.

Hacer verosímil una información

Determinados datos que resultarían farragosos explicados por un narrador, resultan más leves dichos por uno o más personajes.

Destacar personajes

Crear cierta familiaridad entre algunos personajes en oposición a la relación entre otros de la misma novela o hacer hablar al que queremos destacar es una estrategia válida.

Hacer avanzar la acción

Planteado con vivacidad, el diálogo es uno de los principales cauces que permite hacer avanzar la acción narrativa. La interacción bien llevada entre los parlamentos de los personajes facilita el dinamismo.

Articular la estructura

Recurrir al diálogo para configurar en uno u otro sentido la estructura del conjunto es lo que hacen muchos escritores de distintas maneras; en ocasiones, para crear un efecto. Éstas son:

a) Como inicio.
Abrir un relato, cuento o capítulo de novela, con un breve diálogo puede crear un mayor interés sobre qué les pasará a continuación a esos «seres» que «hablaron»,

siempre que lo dicho tenga la suficiente fuerza o condensación.

Ejemplo:

—Es cosa de creer que oigo pisadas en el pasillo —se dijo Bernardo.

ANDRÉ GIDE, *Los monederos falsos*

b) Como final.

Finalizar el relato con unas líneas de diálogo es un modo de hacer partícipe al lector, de introducirlo en la situación y provocarle el deseo de opinar.

Ejemplo:

—Pues entonces, ¡no se hable más! Y ahora por el camino veremos cómo le llamamos al pozo, a la huerta y al perro que tengo pensado comprar. Y también quiero que me cuentes cómo te escapaste de la cárcel, y muchas cosas de la vida del gran Faroni, que siempre deseé saber. Por ejemplo, cuál era su comida favorita, y si usaba o no camiseta. ¿Vamos?

—¡Adelante! —gritó Gregorio, y salieron juntos a la calle.

LUIS LANDERO, *Juegos de la edad tardía*

c) En forma esporádica dentro de una extensa prosa narrativa.

Ejemplo 1:

El siguiente diálogo breve se alterna con extensas narraciones del protagonista y dentro del contexto inaugura una escena importante para la definición del personaje y sus sentimientos.

—¿Tienes repuestos para esta pluma?

Eso fue lo que le pregunté, sacando de mi bolsillo una pluma alemana que había comprado en Bruselas y que me gusta mucho porque la plumilla es negra y mate.

—A ver —dijo ella, y abrió la pluma y miró el cartucho casi vacío—. Me parece que no, pero espera, voy a mirar en las cajas de arriba.

JAVIER MARÍAS, *Corazón tan blanco*

Ejemplo 2:

En este caso, a medida que la tensión del relato crece debido al suceso principal, el autor emplea el diálogo marcando determinados hitos. Aquí, la única línea de diálogo coincide con la pregunta que se hace el lector, y alterna con un extenso discurso del narrador que comenta las conversaciones que llevan a cabo los personajes, sin escenificarlas porque versan en torno a asuntos cotidianos y detendrían la intensidad del relato.

—Pero ¿qué hará esta vez? —decía al rato el padre mirando sin duda hacia la puerta.

Y, pasados unos momentos, volvían a la interrumpida conversación.

De este modo supo Gregorio, con gran placer —el padre repetía y recalcaba sus explicaciones en parte porque hacía tiempo que él mismo no se había ocupado de aquellos asuntos, y en parte también porque la madre tardaba en entenderlos—, que, a pesar de la desgracia, aún les quedaba algún dinero del antiguo esplendor; verdad es que no demasiado, pero algo había ido aumentando desde entonces, gracias a los intereses intactos.

FRANZ KAFKA, *La metamorfosis*

d) En la totalidad.

Un relato profusamente dialogado simula colocar al lector dentro de la escena. Si el diálogo es su materia exclusiva, suele ser una estrategia para destacar y desarrollar el tema de la incomunicación.

El siguiente es un excelente ejemplo y evidencia mediante el diálogo los sentimientos opuestos de los integrantes de una pareja:

> —*Detroit al habla* —*dijo la telefonista.*
> —*¿Oiga?* —*dijo la muchacha en Nueva York.*
> —*¿Diga?* —*respondió el joven en Detroit.*
> —*¡Oh, Jack! Cuánto me alegra oírte, cariño. No sabes cuánto...*
> —*¿Diga?* —*repitió él.*
> —*¿No puedes oírme? Pero si te oigo como si estuvieras a mi lado. ¿Y ahora? ¿Me oyes?*
> —*¿Con quién quiere hablar?*
> —*¡Contigo, Jack! Soy Jean, querido. Intenta oírme, por favor. Soy Jean.*
> —*¿Quién?*
> —*Jean. ¿Es que no reconoces mi voz? Soy Jean, querido, Jean.*
> —*Ah, hola. Vaya, qué sorpresa. ¿Cómo estás?*
>
> Dorothy Parker, *La soledad de las parejas*

Un diálogo debe aportar siempre a las voces que lo sostienen una particularidad, una insinuación, una revelación, y nunca puede ser extraño a las acciones o los sentimientos de los personajes.

Escribir un diálogo es concretar, no divagar.

2

Clases de diálogo

En los relatos en prosa se puede hacer hablar a los personajes mediante tres formas de diálogo diferentes:

- Con discurso directo.
- Con discurso indirecto.
- Con discurso libre.

Discurso directo

Se llama directo porque reproduce directa y literalmente las palabras de los personajes. Formalmente, lo más clásico es que esas palabras vayan precedidas de raya de diálogo e introducidas por verbos *dicendi*. Las intervenciones de los personajes pueden ir acompañadas de incisos del narrador o sin ellos.

Ejemplo:

No pude evitar una sonrisa. Corso hizo un gesto de asentimiento, invitándome a pronunciar veredicto.

–Sin la menor duda –dije– esto es de Alejandro Dumas, padre. «El vino de Anjou»: capítulo cuarenta y tantos, creo recordar, de Los tres mosqueteros.

–Cuarenta y dos –confirmó Corso–. Capítulo cuarenta y dos.

–¿Es el original?... ¿El auténtico manuscrito de Dumas?

–*Para eso estoy aquí. Para que me lo diga.*

Encogí un poco los hombros, a fin de eludir una responsabilidad que sonaba excesiva.

–*¿Por qué yo?*

Era una pregunta estúpida, de las que sólo sirven para ganar tiempo. A Corso debió de parecerle falsa modestia, porque reprimió una mueca de impaciencia.

–*Usted es un experto –repuso, algo seco–. Y además de ser el crítico literario más influyente de este país, lo sabe todo sobre novela popular del XIX.*

ARTURO PÉREZ-REVERTE, *El club Dumas*

Discurso indirecto

En el diálogo indirecto, el narrador reproduce con sus palabras lo que los personajes dicen o han dicho. Puede resultar más ágil para la lectura al eliminar las pausas entre la narración y el diálogo. Aporta cierto aire de credibilidad y de curiosidad (de cotilleo) que responde a: «me dijeron que», «dijo que», etcétera. Además:

· Las palabras de los personajes dependen de los verbos *dicendi*, seguidos de una conjunción subordinante (generalmente *que* o *si*).

· Los tiempos verbales, los pronombres y los adverbios se modifican en su paso del estilo directo al indirecto.

· No admite raya de diálogo.

En resumen, el narrador introduce lo que dicen los personajes sin marcar con signo alguno sus palabras; en cambio, se ve obligado a utilizar profusamente la conjunción *que*.

Ejemplo 1:

El narrador reproduce una voz:

*El día siguiente transcurrió para ella con una dulzura nueva.
Se hicieron mutuos juramentos. Ella le contó sus tristezas.
Rodolfo la interrumpía con sus besos y ella, contemplándole con
los ojos entornados, le rogaba que la llamase una vez más por
su nombre y que le repitiese que la amaba.*

GUSTAVE FLAUBERT, *Madame Bovary*

Ejemplo 2:

El narrador reproduce dos voces y usa el presente:

*Él le dice **que** ésa es la última pieza que va a tocar la orquesta,
que ya es hora de quitarse el antifaz. Ella le dice **que** no, la
noche debe terminar sin que él sepa quién es ella, y sin que ella
sepa quién es él. Porque nunca más se volverán a ver, ése ha sido
el encuentro perfecto de un baile de carnaval y nada más. Él
insiste y se saca el antifaz, es divino el tipo, y le repite **que** ha
estado toda su vida esperándola y ahora no la va a dejar esca-
par.*

MANUEL PUIG, *El beso de la mujer araña*

Ejemplo 3:

El narrador reproduce varias voces y usa el pasado:

*Y cuando tuvimos el comedor empapelado, en el lado derecho nos
salió una mancha. Hicieron venir al chico que lo había empapelado y **él dijo que** la culpa no era suya, **que** la mancha debía de
haber salido después. **Que** era un defecto de la pared que se le
había reventado alguna cosa dentro. Y Quimet **dijo que** aquella
mancha ya debía estar allí y **que** su obligación era **haber dicho***

*que había humedad. Mateu **dijo que** más valdría que fuésemos
a ver a los vecinos porque a lo mejor tenían el fregadero en aquel
lado y que si lo tenían agujereado estábamos perdidos.*

MERCÈ RODOREDA, *La plaza del Diamante*

Discurso libre

El estilo libre consiste en incorporar el diálogo a la
narración eliminando los verbos *dicendi* y, en consecuencia, la raya de diálogo; es una variante del indirecto, con
la diferencia de que la intervención de los personajes
interrumpe la narración. La distinción entre el narrador
y el diálogo se advierte por el contexto y por los cambios
verbales. Se trata de una modalidad intermedia entre el
estilo directo y el indirecto. Sirve al narrador que contempla todo para crear la sensación de que es el personaje el que lo contempla (y lo dice, también, como si lo
dijera el personaje).

Ejemplo:

Es común que el estilo indirecto se vaya alternando
con el indirecto libre como en el texto siguiente:

*Y Monsieur Thiers, después de su primer paseo por el París de los
escarmientos, había dicho así, como quien no dice nada: «Las
calles están llenas de cadáveres; ese horroroso espectáculo servirá
de lección». Los periódicos de la época —los de Versailles, desde
luego— predicaban la santa cruzada burguesa de la matanza y
el exterminio. Y recientemente... ¿qué me dice usted de las vícti-
mas de la huelga de Fourmies? ¿Y más recientemente aún?
¿Tuvo contemplaciones el gran Clemenceau con los huelguistas*

de Draveil, de Villeneuve-St. Georges?... ¿Eh?... El Académico,
atacado de frente, desvió el rostro hacia el Primer Magistrado:
«Tout cela est vrai. Tristement vrai. Mais il y a une nuance,
Messieurs»... Y luego, después de una pausa algo solemne y pre-
paratoria, alzando la sonoridad de cada nombre, recordó que
Francia había dado al mundo un Montaigne, un Descartes, un
Luis XIV, un Molière, un Rousseau, un Pasteur.

ALEJO CARPENTIER, *El recurso del método*

Combinaciones y variantes

Los discursos anteriores se pueden combinar en un mismo relato o pueden aparecer ligados a la prosa, disfraza-
dos de monólogo, etcétera.

· Directo e indirecto enlazados

Ejemplo:

Se sentía débil, vacía, aburrida, si alguna vez tenía plata
compraría una lápida y haré grabar Trinidad López con letras
doradas. [...] A la semana se presentó en Mirones Gertrudis
Lama, por qué no había vuelto al laboratorio, hasta cuándo
crees que te esperarán. Pero Amalia no volvería al laboratorio
nunca más. ¿Y qué iba a hacer, entonces? Nada, quedarse aquí
hasta que me boten, y la señora Rosario tonta, nunca te voy a
botar.

MARIO VARGAS LLOSA, *Conversación en la catedral*

Obsérvese el contraste en la misma frase:
a) estilo indirecto:
(pensaba que) si alguna vez tenía plata compraría una lápida

b) estilo libre:
y haré grabar

• Ligado a la prosa

El discurso directo puede aparecer ligado a la prosa narrativa sin ningún tipo de indicación.

Ejemplo:

En vista de que la Tota le ha pedido que baje a comprar una caja de fósforos, Lucas sale en piyama porque la canícula impera en la metrópoli, y se constituye en el café del gordo Muzzio, donde antes de comprar los fósforos decide mandarse un aperital con soda. Va por la mitad de este noble digestivo cuando su amigo Juárez entra también en piyama y al verlo prorrumpe que tiene a su hermana con la otitis aguda y el boticario no quiere venderle las gotas calmantes porque la receta no aparece y las gotas son una especie de alucinógeno que ya ha electrocutado a más de cuatro hippíes del barrio. A vos te conoce bien y te las venderá, vení enseguida, la Rosita se retuerce que no la puedo ni mirar.

JULIO CORTÁZAR, *Un tal Lucas*

• Cuasi-indirecto

Se presenta como estilo directo, se elimina el intermediario, pero el contexto en el que se desarrolla indica que es indirecto.

Ejemplo:

En *Crónica de una muerte anunciada*, de Gabriel García Márquez, se cuenta 27 años después lo que dijeron los testigos sobre la muerte del protagonista y a veces aparece el locutor, pero otras aparecen los mensajes sin más.

El día en que lo iban a matar, Santiago Nasar se levantó a las 5.30 de la mañana para esperar el buque en que llegaba el obispo. Había soñado que atravesaba un bosque de higuerones donde caía una llovizna tierna, y por un instante fue feliz en el sueño, pero al despertar se sintió por completo salpicado de cagada de pájaros. «Siempre soñaba con árboles», me dijo Plácida Linero, su madre, evocando 27 años después los pormenores de aquel lunes ingrato. «La semana anterior había soñado que iba sola en un avión de papel de estaño que volaba sin tropezar por entre los almendros», me dijo.

• Indirecto en primera persona

Puede considerarse un monólogo porque el personaje se dirige aparentemente a sí mismo.

Ejemplo:

¿Qué haría? ¿Hasta cuándo duraría esa situación? Me sentí infinitamente desgraciado. Caminamos varias cuadras. Ella siguió caminando con decisión.

ERNESTO SÁBATO, *El túnel*

En el diálogo directo se introduce directamente la voz del personaje mientras que en el indirecto se introduce a través del narrador. Estas y otras variantes pueden alternarse en un mismo texto.

El monólogo

Del griego *monos* (uno) y *logos* (discurso). Se caracteriza porque transcurre en el pensamiento del personaje, como si éste hablara consigo mismo, y por la desarticulación lógica de los períodos y sentencias. También se denomina flujo de la conciencia.

Mediante esta técnica narrativa, el escritor nos introduce directamente en la vida íntima del personaje sin intervenir con comentarios y explicaciones. Es como si el protagonista hiciese un discurso no pronunciado, un discurso vivido. En general, el monólogo se realiza en oraciones reducidas a un mínimo de elementos sintácticos, es un discurso discontinuo que pasa de un tema a otro, sin introducción previa, se practica la superposición de planos temporales, mediante el cambio de tiempo y de persona de las formas verbales.

Así, bajo la apariencia de una fluidez espontánea se crea la ilusión de un discurso inconsciente.

Ejemplo:

En el siguiente fragmento, el protagonista, que ha sido encarcelado, deja fluir su conciencia y hace una serie de reflexiones íntimas, expresa sus pensamientos más profundos y secretos.

La articulación sintáctica del discurso refleja el estado de ánimo del protagonista: oraciones nominales, reiteraciones, constantes retrocesos para retomar temas bruscamente interrumpidos.

No pensar. No hay por qué pensar en lo que ya está hecho. Es inútil intentar recorrer otra vez los errores que uno ha cometido. Todos los hombres cometen errores. Todos los hombres se equivocan. Todos los hombres buscan su perdición por un camino complicado o sencillo. Dibujar la sirena con la mancha de la pared. La pared parece una sirena. Tiene la cabellera caída por la espalda. Con un hierrito del cordón del zapato que se le ha caído a alguien al que no quitaron los cordones, se puede rascar la pared e ir dando forma al dibujo sugerido por la mancha. Siempre he sido mal dibujante. Tiene una cola corta de pescado pequeño. No es una sirena corriente. Desde aquí, tumbado, la sirena puede mirarme. Estás bien, estás bien. No te puede pasar nada porque tú no has hecho nada. No te puede pasar nada. Se tienen que dar cuenta de que tú no has hecho nada. Está claro que tú no has hecho nada.

Luis Martín-Santos, *Tiempo de silencio*

Cómo se introduce el monólogo

Se puede hacer directamente o intercalado entre otras voces narrativas, a lo largo de un capítulo, entre párrafo y párrafo, o dentro de un mismo párrafo.

1) El personaje expresa su pensamiento en un monólogo interior que puede constituir todo un cuento, un capítulo de una novela o la novela entera.

Ejemplo:

Acabo de escribir. Creo que aún he dormido, etcétera. Confío en no desfigurar demasiado mi pensamiento. Ahora añado estas líneas, antes de abandonarme de nuevo. No me dejo con el mismo ahínco de hace ocho días, por ejemplo. Debe hacer más de ocho días que esto dura, más de ocho días que dije, Pronto, a pesar de todo, estaré por fin completamente muerto.

Samuel Beckett, *Malone muere*

2) El personaje se expresa a sí mismo en una narración directa en primera persona, sin destinatario. Podemos trabajar en un mismo texto con el monólogo y la narración en tercera persona.

Se puede narrar con un narrador en tercera persona que se interna cada vez más en el personaje hasta sustituir su narración por el fluir de la conciencia del personaje.

Ejemplo:

El señor Bloom, masticando de pie, consideró su suspiro.

Respiración de buzo. ¿Le diré de ese caballo que Lenehan? Ya lo sabe. Mejor que se olvide. Va y pierde más. El tonto y su dinero. La gota de rocío está bajando otra vez. Tendría la nariz fría besando a una mujer. Sin embargo, a ellas podría gustarles. Les gustan las barbas que pican. Las narices frías de los perros. La vieja señora Riordan.

JAMES JOYCE, *Ulises*

Diferenciemos los dos puntos de vista:

a) La frase correspondiente al narrador en tercera persona es: *El señor Bloom, masticando de pie, consideró su suspiro.*

b) El resto del párrafo citado corresponde al fluir de la conciencia del personaje, el señor Bloom.

3) Se puede narrar directamente en primera persona, pero en un momento del relato el narrador-personaje pasa a exponer su caos interno, su incoherente yo interior.

Ejemplo:

Encontré gasolina en el cuarto de Shreve y extendí el chaleco sobre la mesa y abrí la botella. El primer auto en el pueblo una chica Chica eso es lo que Jason no podía soportar olor a gasolina enfermándolo entonces se enfureció más que nunca porque una muchacha Muchacha no tenía hermana pero Benjamín...

WILLIAM FAULKNER, *El ruido y la furia*

Diferenciemos los dos puntos de vista:

a) La frase correspondiente al narrador en primera persona: *Encontré gasolina en el cuarto de Shreve y extendí el chaleco sobre la mesa y abrí la botella.*

b) El resto del párrafo corresponde al monólogo interior.

El soliloquio

Del latín *soliloquiu(m)*, de hablar (*loqui*) y solo (*solus*). El soliloquio es hablar en solitario; una especie de diálogo del personaje consigo mismo. Fue llevado del teatro a la novela y así el personaje habla a solas frente a sus interlocutores imaginarios. Según Robert Humphrey, «el soliloquio difiere básicamente del monólogo interior en que, aunque se trata de un solo hablante, supone, con todo, la existencia de un público convencional e inmediato. Esto a su vez confiere al soliloquio características especiales que le distinguen, aún más claramente, del monólogo interior. La más importante de ellas es su mayor coherencia, puesto que su propósito no es otro que comunicar emociones e ideas relacionadas con un argumento y una acción, mientras que el monólogo interior consiste principalmente en expresar una identidad psíquica».

Es decir que el soliloquio es mucho más un relato de un narrador en primera persona que el monólogo interior o el fluir de la conciencia.

Ejemplo:

...aunque haya tratado de encubrirlo, de callarlo, lo tengo presente, siempre presente; tras de meses de un olvido que no fue olvido —cuando volvía a encontrarme dentro de la tarde aquella, sacudía la cabeza con violencia, para barajar las imágenes, como el niño que ve enredarse varias ideas al cuerpo de sus padres—; tras de muchos días transcurridos es todavía el olor del agua podrida bajo los nardos olvidados en sus vasos de coralina, las lucetas encendidas por el poniente, que cierran las arcadas de esa larga, demasiado larga, galería de persianas, el color tejano, el espejo veneciano con sus hondos biseles, y el ruido de caja de música que cae de lo alto, cuando la brisa hace entrechocarse las agujas de cristal que visten la lámpara con flecos de cierzo...

ALEJO CARPENTIER, *El acoso*

¿Diálogo o soliloquio?

Por último, hay casos en que las fronteras entre ambas formas no están definidas. Por ejemplo, en *Tú no te quieres*, de Nathalie Sarraute, hay un diálogo entre las voces internas del mismo personaje:

—*«Usted no se quiere.» Pero y eso, ¿cómo? ¿Cómo es posible? ¿No se quiere usted? ¿Quién no quiere a quién?*

—*Tú, naturalmente... era un usted de cortesía, un usted que no se dirigía sino a ti.*

−*¿A mí? ¿A mí solo? No a vosotros todos que sois yo... y somos tan numerosos... «una personalidad compleja»... como todas las demás... Entonces, ¿quién debe querer a quién en todo esto?*

El diálogo en cine y teatro

La principal diferencia entre el diálogo narrativo y el teatral o el cinematográfico es que el narrativo se escribe para ser leído y el narrador puede aparecer en el relato; el de cine y el de teatro se escriben para ser representados y el narrador no aparece en escena: da la palabra exclusivamente a los personajes.

Diálogo cinematográfico

En cine existe la figura del dialoguista, autor que se dedica casi exclusivamente a escribir diálogos. El diálogo es el cuerpo comunicativo del guión de cine y televisión, sirve para caracterizar al personaje. En él se pone un énfasis especial en el aspecto coloquial del habla de cada día, aunque tampoco deben ser reproducciones de la realidad.

La función principal del diálogo cinematográfico es proporcionar la información que no se consigue mostrar con la acción propiamente dicha.

Dentro de una imagen, el diálogo puede ser sustituido por un gesto o por una mirada, que podrían ser más significativos que la frase.

Sus condiciones fundamentales, a diferencia del diálogo de la novela o el relato literario en general, son las siguientes:

· Es más concentrado.

· Es más breve: incluye solamente lo necesario para la información.

Lo primordial del diálogo cinematográfico o televisivo es que sea dinámico y verosímil. El espectador debe captarlo como si fuera natural.

Escribir un guión de cine o televisión es un trabajo de equipo y no una tarea solitaria como la del novelista. Dice Valeria C. Selinger: «El guionista debe transmitir constantemente información, tanto de forma visual como auditiva (incluso cuando «no pasa nada» a nivel de acción). Todas las frases deben poder traducirse en imágenes visuales y sonoras. En esta transmisión de información, el narrador no existe, debe ser completamente objetivo. Hay entonces algunas frases que están prácticamente prohibidas, por ejemplo "L tenía una casa bonita", porque no le ofrece pautas al escenógrafo, no se sabe qué considera por "bonita" el guionista».

Diálogo teatral

El diálogo teatral es también acción hablada. La incidencia del diálogo en una obra teatral es total: sin diálogo no hay teatro, mientras que en la narrativa se puede eludir.

En teatro, el narrador desaparece y los personajes se encargan de dar a conocer, mediante el diálogo, la historia que desea contar. A través del lenguaje hablado en escena se caracterizan los personajes y se ambienta la obra. Es tan importante como la acción.

Otras opciones del diálogo teatral son el soliloquio, que tratamos anteriormente, y el coro.

En **el soliloquio** el actor, solo en el escenario, expone bien claro y alto sus pensamientos y sentimientos. Fue un recurso habitual en el teatro griego y latino, manteniéndose hasta el barroco y el neoclásico. Aún quedan rastros en el teatro moderno –como en el caso de *Equus*, de Peter Shaffer– y el cine lo usa con prudencia, como en *Sunday, bloody Sunday*, de John Schlesinger.

El coro es el conjunto vocal que se expresa con el canto o la declinación. En el teatro clásico era el conjunto de actores que, al lado de los actores principales, representaban al pueblo, narrando y comentando la acción. Se mantiene su uso en el musical, como en la secuencia de Ascot de la película *My fair lady*, dirigida por George Cukor.

Mezcla de géneros

Está demostrado que la división entre los géneros no es absoluta ni mucho menos. Así, vemos el diálogo teatral empleado en una novela:

Ella (*desconcertada, refiriéndose a otra cosa*): El verano contra las buenas costumbres.

Yo: Se ha vuelto loco y gira.

Nos sentamos los dos en apariencia sin intenciones metafísicas a cada lado de la mesa aunque fieles al viejo enloquecido sin péndulo, afónico de campanadas por su cuenta.

Yo (*más solemne, sirviéndome en un vaso*): Ya un año y pico juntos.

Ella (*entiende*): Como si se tratara de ayer cuando fui hasta la ventana y dije algo de verano.

Yo: Se va a llamar Sergio, como Prokofiev.

NÉSTOR SÁNCHEZ, *Siberia Blues*

El diálogo narrativo se diferencia del cinematográfico y del teatral porque el primero está escrito para ser leído y el lector debe imaginar la escena, mientras que los segundos están escritos para ser escenificados, pueden ser reestructurados por un realizador y el espectador los ve directamente en una escena.

3

Formas de representación de los diálogos

¿Cómo transcribimos los diálogos? Directamente, sin ningún tipo de inciso aclaratorio, con muy pocas acotaciones o explicando detalladamente el estado de ánimo y las características de los hablantes.

Las formas clásicas

Existen diversas formas de representar sobre el papel los diálogos directos, que son las que y que vemos a continuación.

La tradicional española

En español, los diálogos se abren con una raya o guión medio (–). Esta raya se usa al inicio de la frase (pero no se repite al cierre de la misma) y cuando se indica la persona que habla, cerrando sólo la aclaración intercalada:

—*Creo que vendrá pronto* – *dijo Finita algo asustada.*

Veamos un ejemplo tomado de una novela:

—*Imagínate una organización ultraclandestina perfecta, dispuesta a liquidar esta nueva forma de barbarie y de opresión que llaman democracia.*

–*Me parece excesivo –respondí para no parecer muy impresionado–. Como ya te dije, yo me conformaría por ahora con liquidar a algunos sujetos antipáticos.*

JUAN JOSÉ MILLÁS, *Letra muerta*

La tradicional anglosajona

Los anglosajones utilizan comillas en vez de guiones.

«*Creo que vendrá pronto*».

Mencionamos este tipo de representación del diálog porque también se utiliza a veces en textos publicados en español.

Ejemplo:

«Veo una borla carmesí», dijo Jinny, «entreverada de hebras de oro.»

«Oigo un patear»; dijo Louis. «Hay un gran animal con una pata encadenada. Patea, pasea, patea.»

«Mira la telaraña, en el ángulo del balcón», dijo Bernard. «Tiene cuentas de agua, gotas blancas de luz.»

«Las hojas se amontonan alrededor de la ventana, como orejas puntiagudas», dijo Susan.

«Una sombra se proyecta en el sendero», dijo Louis, «como un codo de reflexión.»

VIRGINIA WOOLF, *Las olas*

Aunque en español se suele preferir la puntuación tradicional (con raya) para el diálogo, se suelen utilizar las comillas cuando lo que se reproduce es un pensamiento. Ambas formas de representación pueden coexistir:

Ejemplo:

—No sé por qué siempre que muere una mujer joven y hermosa todo el mundo imagina que detrás hay un tercero y un triángulo amoroso —ironizó.

«Porque muy a menudo el triángulo es la causa de la muerte», pensó el detective. Pero no se atrevió a decirlo todavía.

EUGENIO FUENTES, *El interior del bosque*

La puntuación correcta

La indicación del diálogo se efectúa de la siguiente manera:

En los parlamentos:
Al principio del parlamento, la raya (–) se pega a la palabra que le sigue:

—La lluvia es pasajera.

Cuando el parlamento va a continuación de un inciso, no lleva antes raya o guión:

—La lluvia es pasajera —afirmó Blas—. De todos modos, no salgas ahora.

En los incisos, la primera raya va junto a la palabra que comienza el inciso, y la segunda, junto a la que le da fin.

—No lo creo —dijo Blanca—. Es posible que se quede entre nosotros.

Si hay inciso, los signos de puntuación necesarios para indicar la entonación correspondiente (coma, punto y coma, punto seguido) van después del inciso y no después del parlamento, tal como aparece en el ejemplo anterior.

Otras normas para la puntuación de diálogos son:

· Cada intervención se considera un párrafo y se marca con un guión largo en su inicio.
· Los incisos del narrador se encierran entre guiones, que actúan, respecto a la puntuación, como si fuesen paréntesis.
· Delante del punto final del párrafo de cada intervención se omite el guión.

Usos de las comillas

Las comillas suelen utilizarse para indicar de los siguientes aspectos:

· Para marcar los pensamientos.

Ejemplo:
  «Dios —pensó Montag—, ¡cuán cierto es! La alarma siempre llega de noche. ¡Nunca durante el día!»
                                    RAY BRADBURY, *Fahrenheit 451*

· Cuando conviene marcar las palabras de uno o varios personajes en situaciones que no son propiamente de diálogo.

Ejemplo (también de *Fahrenheit 451*):

> *[...] se había sentado en una duna amarillenta junto al mar,*
> *[...] tratando de llenar de arena una criba, porque un cruel*
> *había dicho: «Llena esta criba, y ganarás un real».*

• Cuando en un diálogo un personaje cita las palabras de otro diálogo, éstas se marcan con comillas.

Ejemplo:

> *–¿Sabes cómo me llamaba? Fea, así, Fea, como si fuera mi*
> *nombre. «Fea, ¿quieres traerme un vaso de agua?»*
>
> ROSA CHACEL, *Barrio de Maravillas*

Los matices expresivos

Podríamos variar el efecto que produce una línea de diálogo empleando distintos matices expresivos en el tono, señalados con distintos signos de puntuación, de las siguientes formas:

> *–Ahora te arrepientes –dijo Federico.*
> *–¿Ahora te arrepientes? –preguntó Federico.*
> *–¡Ahora te arrepientes! –gritó Federico.*

Si bien existen las formas de puntuación clásica, cuyas convenciones debemos usar correctamente para no confundir al lector, podemos crear nuestra propia manera de expresar el diálogo, a través de letras mayúsculas para señalar al hablante, por ejemplo, o de la manera que consideremos más idónea.

Sin el verbo «decir»

Una posibilidad es elaborar el diálogo de tal modo que el lector sepa en todo momento quién es el que habla sin necesidad de indicárselo expresamente. En este caso, el guión se utiliza sólo para abrir la voz, pero no para cerrarla.

Ejemplo:

–*Abuela.*

–*¿Qué quieres?*

–*Tengo que comprar unas botas.*

–*¿Por qué?*

–*Porque el suelo está muy frío y los pies se me calan.*

–*Para eso eres joven, y para eso está el brasero.*

–*Sí, pero al brasero no vengo hasta la noche y, de día, aunque me los froto, no me reviven.*

–*Las botas son malas; no rezuma el pie y además crían callos.*

–*Abuela, los pies rezuman por la noche. De día, lo que hacen es tomar sangre y, con el frío, no les llega y se quedan blancos.*

RAFAEL SÁNCHEZ FERLOSIO, *Alfanhuí*

4

El arte del inciso

El inciso es la intervención del narrador testigo de los diálogos (o participante a la vez, en algunos casos) para indicar quién habla. Amplía la información sobre variados aspectos referidos al hablante, sólo cuando es necesario.

Generalmente, y en su forma más común y convencional, los incisos (llamados acotaciones en el lenguaje teatral) corresponden a las distintas variantes de «dijo él» y «dijo ella», denominados verbos *dicendi*. Informan sobre:

- El locutor emisor (quien emite el mensaje).
- El interlocutor o receptor (a quien va dirigido).
- La forma en que se emite el mensaje.

Los objetivos

Cuando un narrador se mete en mitad de la conversación, puede limitarse a hacer una indicación o alterar completamente el efecto que ésta nos produce.

Los incisos del narrador en los diálogos directos pueden ser muy breves, simplemente para indicar qué personaje habla en cada intervención, muy largos o inexistentes.

Umberto Eco dice que cuando se puso a escribir *El nombre de la rosa*, «las conversaciones me planteaban muchas dificultades. Hay un tema muy poco tratado en las teorías de la narrativa: los artificios de los que se vale el narrador para ceder la palabra al personaje».

Propone el siguiente ejemplo: dos personajes se encuentran y uno le pregunta al otro cómo está. El otro responde que no se queja y pregunta a su vez qué tal está el primero.

a) *–¿Cómo estás?*
   –No me quejo, ¿y tú?

b) *–¿Cómo estás? –dijo Juan.*
   –No me quejo, ¿y tú? –dijo Pedro.

c) *–¿Cómo estás? –se apresuró a decir Juan.*
   –No me quejo, ¿y tú? –respondió Pedro en tono de burla.

d) *Dijo Juan:*
   –¿Cómo estás?
   –No me quejo –respondió Pedro con voz neutra. Luego, con una sonrisa indefinible–: ¿Y tú?

a) y b) son similares, pero c) y d) son muy distintos y muy diferentes entre sí. Debido a la intromisión del narrador, de c) y d) se desprenden ciertas alusiones en la respuesta de Pedro que no aparecen en a) y b)

El uso adecuado del inciso

El inciso suele ser necesario en los siguientes casos:

· Cuando se quiere insistir sobre algún aspecto.
· Cuando el mensaje sugiere distintos matices de respuestas por parte del interlocutor.
· Cuando son varios los hablantes.

Insistir sobre algún aspecto

Cuando queremos destacar un rasgo o una reacción que pesan en la trama, recurrir al inciso puede ser una manera propicia.

Ejemplo:

En el siguiente caso, queremos destacar el carácter obsesivo del personaje, empleamos para ello un inciso que marque el uso del lenguaje y el gesto:

–¿Regaste las azaleas, seguro que las regaste? –repitió X por tercera vez mientras se alisaba el bigote con un pequeño peine frente al cristal de la ventana.

Sugerir distintos matices

La escritura de un diálogo responde a una propuesta que previamente podemos hacernos. Para decidir su uso, una vía es probar algunas posibilidades en el mismo diálogo y analizar los resultados, como lo hacemos en el ejemplo siguientes, en que el inciso resulta necesario al insinuar en cada caso un sentido diferente que de otro modo se perdería:

a) –¡Será mejor que te alejes de mí! –respondió X con rabia.

b) –Será mejor que te alejes de mí –dijo X angustiada con un hilo de voz.

c) –Será mejor que te alejes de mí –lanzó X después de un momento como pensando en otra cosa.

Varios hablantes

En muchos casos, es imprescindible el inciso si hablan varios personajes, para que el lector no se pierda.

Ejemplo:

–¿Quién de nosotros será el primero? –preguntó Raúl.

–Conmigo no contéis –se apresuró a decir Lalo.

–Ya veo que tendré que ser yo –dijo Rita.

–No tienes por qué –respondió Raúl.

–¿Y si lo fueras, qué? –intervino Magda.

> El inciso cumple una función determinada. No se deben emplear incisos por hábito o de forma arbitraria.

Colocar el inciso

El verbo *dicendi*, «dijo», puede colocarse antes o después del parlamento del personaje. Ambas modalidades se pueden encontrar en un mismo texto, aunque no es muy habitual.

Ejemplo:

–Dime una cosa –dijo el padre Ángel–. ¿Me has ocultado alguna vez algún pecado?

Trinidad negó con la cabeza.

El padre Ángel cerró los ojos. De pronto dejó de revolver el café, puso la cucharita en el plato, y agarró a Trinidad por el brazo.

–Arrodíllate –dijo.

[...] Trinidad cerró los puños contra el pecho, rezando en un murmullo indescifrable, hasta cuando el padre le puso la mano en el hombro y dijo:

–Bueno.

–He dicho mentiras –dijo Trinidad.

GABRIEL GARCÍA MÁRQUEZ, *La mala hora*

Variantes del verbo «decir»

El verbo *decir* es el verbo más utilizado en los incisos del narrador; pero hay muchos otros verbos que pueden precisar con mayor exactitud la información que la voz narrativa desea dar al lector, entre los cuales señalamos los siguientes:

Expresar, afirmar, pronunciar, razonar, manifestar, explicar, declarar, contar, detallar, informar, alegar, enunciar, precisar, observar, señalar.

No utilizar mecánicamente el verbo *decir*. Escoger el más apto para transmitir la información.

Ampliar el efecto

Los personajes deben expresarse según sus propias características y las del momento de la historia que están viviendo. Existen mecanismos válidos para ampliar el efecto del diálogo, que subrayan o resaltan sus reacciones. Los principales son los calificativos y la descripción.

• Los calificativos

Los adverbios y los adjetivos nos permiten calificar a los personajes. A menudo, no son necesarios porque la fuerza del diálogo basta para decir lo que hace falta y el lector debe entender «qué pasa» gracias a lo que dice y a cómo lo dice cada personaje; pero hay casos en que para expresar estados como miedo o tensión, por ejemplo, una palabra extra –adverbio o adjetivo– puede permitirnos producir la atmósfera adecuada.

Ejemplo:
  –Ahora te arrepientes –dijo Federico.

El efecto cambia según cuál sea la actitud de Federico, algo que es posible de especificar mediante alguna palabra que establece el matiz anímico correspondiente:

  –Ahora te arrepientes –dijo Federico tímidamente.
  –Ahora te arrepientes –dijo Federico cabizbajo.
  –Ahora te arrepientes –dijo Federico amenazante.
  –Ahora te arrepientes –dijo Federico apasionadamente.

· La descripción

Otra opción es elaborar la idea, ampliando el calificativo y reemplazándolo por una explicación referida a un estado anímico, un gesto, una sensación o una acción del personaje.

El mensaje transmitido con palabras puede ir acompañado de determinada carga emocional y por algún movimiento corporal que el narrador suele especificar ampliando la visión del personaje que habla. Se puede indicar la desazón con la mirada dirigida al suelo; la ansiedad con un ir y venir constante; una acción específica puede agregar más vivacidad a la escena, etcétera. Cuando el receptor recibe el mensaje hablado del emisor, capta también lo que dice con sus movimientos. Muchas veces, los gestos de los interlocutores se intercambian constituyendo un diálogo sin palabras. Por lo tanto, podemos emplear la descripción breve y específica de estas acciones mínimas para ampliar el inciso.

Ejemplo 1:
Referido a un estado anímico:

–Ahora te arrepientes –murmuró apenas Federico con desazón.
–Ahora te arrepientes –le lanzó Federico con rabia.

Como resultado, se percibe a un Federico diferente en cada caso, caracterizado por su estado de ánimo. También se puede suponer la reacción del segundo personaje, antes y después de que Federico hable.

Ejemplo 2:

Referido a un gesto

—Ahora te arrepientes —amenazó Federico, señalándolo con el índice.

—Ahora te arrepientes —dijo Federico mientras se quitaba un mechón de pelo de los ojos.

Ejemplo 3:

Referido a una sensación

—Ahora te arrepientes —dijo Federico algo mareado.

—Ahora te arrepientes —Federico dijo sintiendo un mal gusto en la boca.

Ejemplo 4:

Referido a una acción

—Ahora te arrepientes —gritó Federico rompiendo la estatuilla.

Debemos basar la elección del diálogo en las necesidades de la historia narrada y en el aspecto que queremos destacar: poniendo el énfasis en ciertos calificativos, en ciertas explicaciones o regulando el tono expresivo, podemos resaltar un aspecto del personaje en cuestión.

Otras modalidades de diálogo

Existen numerosas modalidades que transgreden la forma convencional de presentar el diálogo y podríamos inventar otras novedosas para decir lo que deseamos, según las exigencias del argumento y de la trama.

Entre ellas, introducir el estilo directo suprimiendo los dos elementos clásicamente distintivos del diálogo: la raya y el cambio de línea; se trata de fórmulas menos convencionales que utiliza la narrativa moderna en las que el lector identifica a los personajes y al narrador por el diferente uso de personas y tiempos verbales.

Veamos las siguientes:

· Se suprime la raya en la introducción de los diálogos:

Él estaba en el dormitorio metiendo ropa en una maleta cuando ella apareció en la puerta.

¡Estoy contenta de que te vayas! ¡Estoy contenta de que te vayas!, gritó. ¿Me oyes?

Él siguió metiendo sus cosas en la maleta.

¡Hijo de perra! ¡Estoy contentísima de que te vayas! Empezó a llorar. Ni siquiera te atreves a mirarme a la cara, ¿no es cierto?

Entonces ella vio la fotografía del niño encima de la cama, y la cogió.

Él la miró; ella se secó los ojos y se quedó mirándole fijamente, y después se dio la vuelta y volvió a la sala.

Trae aquí eso, le ordenó él.

Coge tus cosas y lárgate, contestó ella.

RAYMOND CARVER, *Mecánica popular*

· Se elimina la raya de diálogo y el cambio de línea. Advertimos de qué personaje se trata por el tiempo verbal que usa cada uno:

No molestas, respondió César maldiciendo in pectore su suerte, qué quiere de mí esta ruina humana, por qué viene ahora a fastidiarme. Porque somos los dos únicos directivos que no hemos acudido hoy al despacho de Moton, se contestó a sí mismo de inmediato. ¿No te han convocado a la reunión?, estaba preguntando Matías precisamente. Claro que no, respondió César muy airado. A mí tampoco, dijo el otro en voz baja.

ROSA MONTERO, *Amado amo*

· Se sustituye la utilización de la raya por la mayúscula. Cada personaje inicia su intervención de esta manera:

El médico dijo, Las órdenes que acabamos de oír no dejan dudas, estamos aislados, más aislados de lo que probablemente jamás lo estuvo alguien anteriormente, y sin esperanza de poder salir de aquí hasta que se descubra un remedio contra la enfermedad, Conozco su voz, dijo la chica de las gafas oscuras, Soy médico, médico oftalmólogo, Es el médico a quien fui a ver ayer, es su voz, sí, Y usted, quién es, Tenía una conjuntivitis, supongo que la tengo aún, pero ahora, ciega ya, la cosa no debe tener la menor importancia, Y ese niño que está con usted, No es mío, no tengo hijos [...]

JOSÉ SARAMAGO, *Ensayo sobre la ceguera*

· Sin guiones, ni espacios, ni cambios de línea. Los personajes que intervienen se pueden identificar gracias a la habilidad narrativa del escritor:

Opción a)

Adviértase en el siguiente texto el uso del perfecto simple del narrador (*cazó*), diferenciándose del presente de indicativo (*escribes*) y el pretérito perfecto (*hemos escrito*) de los personajes:

¿Escribes poesía?, preguntó Natalia. De momento, con tres amigos míos, hemos escrito un «Manifiesto». ¿En castellano? Sí, en castellano, Márius no cazó el sentido de la pregunta y leemos a Verlaine, Rimbaud, Baudelaire... ¿De qué trata vuestro «Manifiesto»? De literatura, de que todas las fórmulas poéticas usadas hasta ahora están ya superadas. Hay que acabar con eso de la poesía social y la poesía política.

MONTSERRAT ROIG, Tiempo de cerezas

Opción b)

Padre, dije, ¿qué estás haciendo aquí, en la Pensión Isadora, vestido de marinero? Y ¿qué estás haciendo tú aquí?, replicó, estamos en 1932, estoy haciendo el servicio militar y mi barco ha llegado hoy a Lisboa, mi barco se llama Filiberto, es una fragata. ¿Pero por qué me estás hablando en portugués, padre?, dije, ¿y por qué te me apareces siempre con preguntas absurdas?, [...] dijo.

ANTONIO TABUCCHI, Requiem

• Colocando los incisos entre paréntesis, condensados en una sola palabra referida al estado del personaje, y a continuación del diálogo, sin separación de raya:

−¿De qué estás harto?
−De todo esto. (Tozudo.)
−¿Qué es todo esto? (Como Forster, el loro.)
−De hablar sólo. (Terco.)
−¿Con quién, pues? (Despectivo.)

–*Me da igual.*

–*Embustero. Sabes muy bien con quién. (Amonestador.)*

–*Con aquella cursilona, aquella bruja de París. (Sin convicción.)*

–*¡Ajá! –chillo–. Bueno, bueno –repito cinco veces–. ¡Pues dilo, cabrón!*

JULIAN BARNES, *Hablando del asunto*

5

Los recursos lingüísticos

Las palabras que vayamos a emplear en el diálogo dependerán de quién sea el personaje que habla y de cómo y en qué circunstancias lo haga.

Quién habla

En primer lugar, algo primordial es adaptar los términos y las construcciones gramaticales que vamos a usar a la personalidad que queremos definir por medio de ese diálogo. Hay que asignar a cada uno de los personajes un lenguaje propio, que lo caracterice como individuo.

Los diálogos no son meras copias del lenguaje hablado.

En segundo lugar, debemos poner en boca de los personajes determinadas palabras articuladas según determinadas condiciones que respondan al lenguaje de la vida real, pero que la trasciendan. Los textos literarios dialogados son recreaciones de la lengua hablada, el lenguaje coloquial representa una modalidad oral-conversacional, pero no debemos intentar copiar el discurso oral, sino respetar su ritmo fragmentario, en el que no se puede tender una línea recta, sino que zigzaguea, para conseguir la fluidez.

Como dice Adolfo Bioy Casares: «Hay que tener en cuenta el tono, la manera de hablar de las personas, no la copia servil; creo que es utilísimo, que da vida a los personajes y facilita la lectura. La limitación del diálogo impide que el autor se asome a cada rato en la narración. Es un buen signo que no se oiga la voz del autor; todo suena más espontáneo».

Sin embargo, se impone conocer los rasgos del lenguaje real para no irnos al extremo opuesto y elaborar diálogos falsos o imposibles. Normalmente, en la vida real los hablantes se interrumpen unos a otros, se superponen, se producen lapsos de silencio o gestos en lugar de palabras; se emplean frases inconclusas, mezclan cualquier tipo de discurso con el discurso cotidiano y trivial.

Del mismo modo, un diálogo narrativo puede incluir titubeos, rupturas, cambios bruscos de tema, interrupciones, elementos de carácter fático, imprecisiones. A medida que fluyen las palabras, pueden ser interferidas por recuerdos, cambios anímicos, observaciones hechas al pasar, etcétera.

Ejemplo:

—Eres tú, Michael. De pronto te has puesto apasionado sin venir a cuento. No estás diciendo nada especial.

—Bueno, Brahms me dice que sea expresivo.

—¿Dónde? —pregunta Piers, como si le hablara a un niño idiota—. Dime exactamente dónde.

—Compás quince.

—En mi partitura no dice nada.

—Mala suerte —digo, cortante. Piers lee mi parte con incredulidad.

—Rebeca va a casarse con Stuart —dice Helen.

—*¿Qué?* —*dice Piers, perdiendo la concentración*—. *Estás bro-
meando.*

VIKRAM SETH, *Una música constante*

> Para plasmar escenas con exactitud y originalidad, des-
> pués de recoger material diferente de las conversaciones
> que escuchamos al pasar y filtrarlas, debemos saber qué
> dirían los personajes porque los hemos observado lo sufi-
> ciente en nuestra imaginación.

Cómo habla

En la ficción no hay lugar para frases que no sean signi-
ficativas: aun la conversación más intrascendente debe
mostrar algo de los personajes implicados.

A cada personaje le va bien un tipo de expresión verbal específica y una organización del discurso que puede
permanecer así a lo largo de todo el conjunto o cambiar.

Una voz que habla en un relato lleva incorporada una
forma de ser, lo que equivale a un repertorio de recursos
lingüísticos, un modo de emplear esos recursos, una actitud ante la palabra, etcétera. Tenemos que hacerles hablar de acuerdo con su papel.

La acertada selección lingüística permite construir
diálogos sugerentes, que dicen más de lo que aparece;
así, el uso del diminutivo que indica un temperamento
afectivo o el de la hipérbole, la exageración, que indica
una tendencia a la fantasía o a la magnificencia; la metáfora, que determina la pertenencia a uno u otro esta-
mento social, según el tipo de metáfora de que se trate.

Ejemplo:

–Abbot y Bessie –añadió al llegar–, creí haber dejado claro que no quería ver a Jane Eyre fuera del cuarto rojo hasta que yo viniera a buscarla.

–Pero es que, señora, no sabe lo fuerte que ha chillado la señorita Eyre –respondió Bessie con voz suplicante.

–Pues que chille –fue la contestación–. Y tú, niña, suelta la mano de Bessie. Puedes estar segura de que por esos procedimientos no te vas a ver libre. Aborrezco las farsas, y más cuando el farsante es un niño. Es mi deber enseñarte que esos trucos no van a hallar eco; al contrario, ahora te quedarás encerrada una hora más, y sólo saldrás cuando alcances un total equilibrio y te muestres sumisa.

CHARLOTTE BRONTË, *Jane Eyre*

> El buen diálogo depende del ajuste perfecto entre qué dice el hablante y por qué dice esas palabras, para lo cual el buen dialoguista debe plantearse la intención que impulsa al personaje a decir lo que dice.

Modismos

En principio, y dado que cada profesión, cada forma de vida, tiene sus modismos, su vocabulario propio, si pretendemos dar vida a un individuo determinado, debemos informarnos acerca de los términos específicos, léxico y sintaxis, con que se expresaría dicho personaje para no cometer deslices que hagan menos creíble el relato.

Los personajes poco ilustrados utilizarán frases más bien cortas, unidas por conjunciones. Pocas veces usarán oraciones subordinadas, tenderán a servirse exclusivamente del indicativo, e incluso es posible que transgredan algunos tiempos verbales, que digan «si no habrías venido» en lugar de «si no hubieras venido», por ejemplo. Su vocabulario será más bien limitado, y con cierta frecuencia se servirán de muletillas e interjecciones varias que insertarán en mitad de una frase. Por el contrario, si los hablantes son unos eruditos su habla será más ampulosa, y más exacta. Usarán términos de su profesión, utilizarán correctamente los tiempos verbales y su vocabulario será amplio y variado.

Si en una conversación se incorpora un personaje que hable con un acento determinado, extranjero o defectuoso, por ejemplo, esta diferencia nos permite originar una serie de conflictos, escenas nuevas que reconduzcan el relato y que sin ese acento particular no hubiéramos podido desarrollar.

> El modo de hablar puede ser indicativo del origen y permitir el desarrollo de nuevas escenas.

Jergas

El aspecto de las jergas, el de las hablas marginales, es más complicado. Decía Raymond Chandler que sólo hay dos tipos de jergas aceptables para el escritor: «el *slang* que se ha establecido en el lenguaje, y el *slang* que uno mismo inventa. Todo lo demás es propenso a pasar de moda antes

de alcanzar la imprenta». Y agrega: «Tuve que aprender
norteamericano igual que si hubiera sido un idioma extranjero. Para aprenderlo, tuve que estudiarlo y analizarlo.
Como resultado, cada vez que uso *slang*, coloquialismos,
lenguaje malicioso o cualquier otro tipo de lenguaje no
convencional, lo hago deliberadamente.»

Un ejemplo perfecto de jerga inventada puede ser *La
naranja mecánica*, donde el autor, partiendo del vocabulario ruso crea el *nadsat*, la lengua juvenil que hablan los
pandilleros de la novela. Burgess introduce tan bien el
nadsat en su novela, de una forma tan paulatina, y con un
contexto tan esclarecedor que uno apenas necesita mirar
el glosario que incluyen algunas ediciones del libro para
comprender su significado.

> Se pueden emplear los modismos y las jergas seleccio-
> nando aquellas palabras más representativas, para que el
> lector identifique el habla particular del personaje, pero
> hay que dosificarlas, pues pueden hacer perder naturali-
> dad al diálogo.

La expresión adecuada

Así se expresa un personaje, así es. Para que las expresio-
nes adquieran la fuerza que el relato exige, es necesario
conocer a fondo el material con el que se trabaja y la personalidad del personaje correspondiente. Del mismo
modo que solemos identificar a una persona conocida
por su entonación, su timbre, su forma de organizar y
articular las palabras y el tipo de lenguaje que usa, pode-

mos también hacerlo con cada personaje de un relato a partir de sus parlamentos. El diálogo permite:

· Definir su personalidad y sus intenciones como consecuencia de sus palabras.

Ejemplo:

En *Madame Bovary*, de Flaubert, el diálogo entre Emma y el cura define a Emma como un ser que busca consuelo sin encontrarlo porque el cura tiene una visión limitada. A este respecto, dice Flaubert en una de sus cartas: «Finalmente empiezo a ver un poco claro en este dichoso diálogo con el cura. [...] Ésta es la situación que quiero presentar: la mujer, en un acceso de fervor religioso, acude a la iglesia; encuentra al cura en la puerta, y en la conversación (el tema no está decidido) él se muestra tan estúpido, vacío, inepto, torpe, que ella se marcha hastiada, ya disperso su sentimiento religioso. Y el sacerdote es un buen tipo, incluso diría que es excelente. Pero no piensa más que en los males del cuerpo (los sufrimientos de los pobres, la carencia de alimentos y de calor) y no entiende las apostasías morales ni las vagas ansias místicas; es castísimo y practica sus deberes religiosos».

—¿Cómo os va? —agregó.

—Mal —respondió Emma—. Sufro.

—Bueno, también yo —replicó el eclesiástico—. Estos primeros calores os debilitan extrañamente, ¿verdad? En fin, qué queréis, hemos nacido para sufrir, como dice San Pablo.

Pero, ¿qué piensa de ello el señor Bovary?

—¿Él? —exclamó Emma con un gesto desdeñoso.

—¿Pues, qué? ¿Acaso no os receta nada?

—¡Oh! —dijo Emma— , no son los remedios de la tierra los que necesito.

· Diferenciar a los personajes y señalar las relaciones existentes entre ellos.

Necesariamente, y ya que el diálogo lo permite, debemos escribir diálogos con un discurso que permita diferenciar a los personajes entre sí y establecer el tipo de relaciones existente entre ellos de un modo ágil y significativo. La caracterización que se hace en una escena puede mantenerse durante toda la novela o ser distinta en escenas anteriores o posteriores.

Ejemplo 1:

En el siguiente fragmento, el contraste intelectual entre ambos personajes es evidente:

—Vamos a ver, Lucía: ¿Vos sabés bien lo que es la unidad?

—Yo me llamo Lucía, pero vos no tenés que llamarme así —dijo la Maga—. La unidad, claro que sé lo que es. Vos querés decir que todo se junte en tu vida para que puedas verlo al mismo tiempo. ¿Es así, no?

—Más o menos —concedió Oliveira—. Es increíble lo que te cuesta captar las nociones abstractas. Unidad, pluralidad… ¿No sos capaz de sentirlo sin necesidad de ejemplos? No, no sos capaz. En fin, vamos a ver: tu vida, ¿es una unidad para vos?

—No, no creo. Son pedazos, cosas que me fueron pasando.

—Pero vos, a tu vez, pasabas por esas cosas como por esas piedras verdes. Y ya que hablamos de piedras, ¿de dónde sale ese collar?

–*Me lo dio Ossip* –*dijo la Maga*–. *Era de su madre, la de
Odessa.*

Julio Cortázar, *Rayuela*

Observación:

Él analiza desde el conocimiento intelectual («las
nociones abstractas») y ella necesita pasarlo por su cuerpo, vivirlo para entenderlo. La relación entre ambos:
Oliveira actúa como el dueño del saber y trata de ense-
ñarle a ella («concedió», «No, no sos capaz»). La Maga lo
escucha, pero no abandona su forma de enfocar el
mundo.

Ejemplo 2:

En el siguiente fragmento, se nota la diferente manera de pensar de ambos personajes, ella más contundente,
él más irascible y escéptico.

–*Hay cantidad de coches esta noche* –*observó Edith.*
Él se quejó:
–*No habría tantos si hubiéramos llegado a tiempo.*
–*Habría los mismos. Sólo que no los habríamos visto.* –*Le
pellizcó en la manga, para fastidiarlo.*
Él remachó:
–*Edith, si queremos jugar al bingo, tenemos que llegar pronto.*
–*Calla* –*respondió Edith Packer.*
*James encontró un sitio y aparcó. Apagó el motor y las luces.
Comentó:*
–*No sé si voy a tener suerte esta noche. Cuando estaba
haciendo los impuestos de Howard presentía que iba a tener suer-
te. Pero ahora creo que se me ha pasado. No parece buena suer-
te tener que andar casi un kilómetro sólo para jugar.*

—Tú pégate a mí —le animó Edith Packer—. Te daré suerte.
—Ya no siento la suerte —se lamentó James—. Cierra tu puerta.

RAYMOND CARVER, *De qué hablamos cuando*
hablamos de amor

Observación:

Con una sola palabra se puede retratar a un personaje. El uso del modo imperativo del verbo («calla», «cierra») —en el ejemplo precedente— retrata a una enérgica Edith frente a un James más depresivo.

6

El personaje se muestra

El personaje habla para revelar quién es y el diálogo debe mostrar a los personajes de manera que el lector pueda llegar a conocerlos por su forma de expresarse. En este sentido, el escritor debe meterse en la piel de cada personaje, distanciarse de sus propias reacciones y experiencias, dejarlos ser ellos mismos y hacerlos hablar de acuerdo con su propia personalidad y carácter, virtudes y defectos, logros y anhelos.

La voz identificable

Cuando se escucha a un personaje en un diálogo, el lector debe tener la posibilidad de identificarlo de inmediato acudiendo únicamente a su voz y sin el soporte de la acotación que pueda proporcionarle el narrador. En *Los Buddenbrook,* de Thomas Mann, los personajes a menudo son reconocibles por sus modismos: uno recurre a frases en francés, otro usa «ejem» y otro «por favor, caballero».

Tratando de conseguir la voz que permitiera identificar a cada personaje, Flaubert padecía. Y observa Antonio Muñoz Molina: «El habla de los personajes, como sus rostros o sus caracteres, nunca consiste en una transcripción del natural, que por lo demás es imposible. Se repite aquí una ley que ya hemos enunciado: la naturalidad o la verdad de lo escrito sólo se logra con el máximo artificio, que es la suma de la atención –la del oído en este caso–, la selección y la combinación de los rasgos más significativos, a la manera de esos dibujantes que resuelven un rostro en dos o tres líneas de lápiz. Pero el artificio, o la técnica, de nuevo es una consecuencia de algo anterior que importa mucho más y que lo justifica: la capacidad del escritor de convertirse en otro, de abdicar de su punto de vista privilegiado y central y enmarcarse en sus personajes como el califa Harun al-Rashid cuando salía de noche de su palacio de Bagdad para buscar aventuras e historias por los zocos. Para saber cómo hablaba Madame Bovary era preciso que Flaubert se encarnara en ella mientras escribía».

La voz única

Tras decidir el nombre del personaje, se impone otorgarle una voz. Cada uno de nosotros tiene una voz única, como son únicas nuestras huellas dactilares, y lo mismo debe suceder con los personajes. La voz puede ser imperativa o sumisa, suave o estridente, lenta o rápida; triste o alegre, activa o depresiva, regional, extranjera, titubeante, ondulante, melódica...

Cuando necesitemos hacer hablar a nuestros personajes en un diálogo, debemos trabajar de la siguiente manera:

a)   Imaginar esa voz en ese momento preciso.
b)   Escucharla mentalmente diciendo esas palabras.
c)   Preguntarnos si siempre será igual su tono y su timbre.

d) Si sabemos que cambiará, repetir la misma operación con los distintos cambios.

e) Imaginar sus reacciones frente a los restantes personajes, según la relación establecida con cada uno, para que, aunque siempre sea el mismo, no hable siempre con el mismo tono (salvo que éste sea el objetivo).

Practicar este método facilita el conocimiento del personaje. Una vez que nos acostumbremos a «escucharlo» encontraremos la inflexión correcta, sus reacciones y su forma de hablar serán los correctos. Es más, ya no nos olvidaremos a mitad del relato de cuál era la impresión que queríamos dar al lector, ni transformaremos la personalidad del personaje en otra diferente sin darnos cuenta.

Varias voces

Los escritores principiantes suelen usar demasiados interlocutores en el mismo diálogo, mecanismo típico y necesario en el teatro, pero difícil de manejar en la novela o el cuento Una conversación entre dos ya tiene sus propias dificultades con tres o cuatro participando, la dificultad se multiplica. Los riesgos más comunes en este caso son los siguientes:

· Cada personaje suelta su parrafada de información y convierte el diálogo en un número variable de monólogos.

· Llega un momento en que el escritor se pierde y no sabe realmente quién está hablando. O, si lo sabe, no es capaz de presentárselo claramente al lector y es éste entonces el que se pierde.

En el caso del relato de humor puede ser un buen recurso.

Ejemplo:

El joven lanzó una carcajada que fue repetida por los diecio-cho hermanos.

–¡La torre de Pisa! –exclamó el muchacho–. ¿Nosotros, nobles? ¡Ahora me entero! Tú sí eres noble, pero mi madre era una lavandera de Vercelli.

–Y la mía, una atropellaplatos de Ravena –dijo un tercero.

–Y la mía una cortesana de Venecia...

Y la mía lo mismo... –exclamaron por turno los quince hijos naturales restantes.

E. JARDIEL PONCELA, *¡Espérame en Siberia, vida mía!*

> Es preciso ser muy cauto en el uso de varias voces. Es fácil caer en la confusión o desorientar al lector si no se saben manejar adecuadamente.

El paso previo

Para elaborar diálogos que correspondan con exactitud al personaje en cuestión, podemos confeccionar la ficha de cada personaje lo más completa posible (manías, edad, rasgos físicos, sentimientos, carácter, comportamiento en su infancia, profesión, situación social, etcétera) y luego hacerlo hablar respondiendo a los datos de la ficha. Por ejemplo, si una característica del personaje es «prepotencia», no dirá «Por favor, te agradecería que me alcances....», sino que pedirá algo directamente, sin miramientos; si en la ficha dice: «odia a las mujeres, pero trata de disimularlo», tendremos más elementos para hacerlo hablar que si no conocíamos este detalle.

Dice y es

¿Qué se puede deducir sobre los personajes a partir de un diálogo?

Si el diálogo está bien planteado, se puede caracterizar a cada personaje sin necesidad de emplear otros recursos.

Los personajes hablan y hablando se delatan a sí mismos y al interlocutor. Es decir, según qué expresen, cómo escuchen y qué respondan, así serán los implicados en el diálogo. Pero siempre debemos recordar que en un diálogo hay cruces, enfrentamientos, malentendidos, sutilezas, etcétera. En síntesis, que no está constituido por dos o más monólogos alternos. Así, cuando hacemos hablar a los personajes, debemos tener en cuenta qué dicen para saber más de ellos y de la historia narrada.

El idiolecto

El idiolecto, es decir, el manejo personal del lenguaje que hace cada uno, se constituye con la serie de palabras y modismos que cada persona emplea con mayor frecuencia al hablar. Podemos tener una lista, una especie de vocabulario personal para cada personaje, a la cual recurrir si lo necesitamos; pero no conviene abusar porque puede contribuir al juego caricaturesco. Es un tratamiento que, de forma a veces algo exagerada, se puede observar en las series de televisión.

A qué mundo pertenece

El diálogo puede reflejar distintos aspectos del personaje como el nivel generacional, el socio-cultural y el emotivo.

Nivel generacional

No habla igual un anciano de ochenta años que una señora de cuarenta o un joven de dieciocho. En los parlamentos de cada personaje debería reflejarse esta diferencia generacional.

Ejemplo:

–*Qué pasa, chavales. ¿Habéis visto el partido, troncos? –pregunta.*

–*Una puta mierda de equipo. Del uno al once, son todos una mierda –dice Roberto.*

–*Me han jodido el baño en Cibeles, tronco. Si esto sigue así, acabaré haciéndome del Atleti. A ver, ¿qué queréis?*

JOSÉ ÁNGEL MAÑAS, *Historias del Kronen*

Nivel socio-cultural

Cada personaje debe hablar como habla en su medio. Será diferente el léxico que utilizará un abogado que el que utilizará una portera.

Ejemplo 1:
Habla un cura, en la novela de Clarín, *La Regenta*:

–En la iglesia hay algo que impone reserva, que impide ana-lizar muchos puntos muy interesantes; siempre tenemos prisa, y yo... no puedo prescindir de mi carácter de juez, sin faltar a mi deber en aquel sitio. Usted misma no habla allí con la libertad y extensión que son precisas para entender todo lo que quiere decir.

Ejemplo 2:
Habla una criada, en la novela de Laura Esquivel, *Como agua para chocolate*:

–Es q'el Felipe ya'stá aquí y dice ¡que si petatió!
–¿Qué dices? ¿Quién se murió?
–¡Pos el niño!
–¿Cuál niño?
–¡Pos cuál iba'ser! Pos su nieto, todo lo que comía le caía mal ¡y pos si petatió!

Nivel emocional
Dentro del nivel emocional pueden incluirse los nive-les anteriores, siempre y cuando a través de lo que el per-sonaje dice exprese, en mayor o menor medida, algún sentimiento.

Ejemplo:
Hablan dos personajes expresando uno el odio; el otro, el miedo, en la novela de Boris Pasternak, *El doctor Zhivago*:

–Pero ¿qué modo es ese de agarrar la lima, asiático? –chilla-ba Judoléiev, tirando a Yusupa de los cabellos y golpeándolo en

el cuello–. ¿Es así como se lima el hierro colado? ¿Te has pro-
puesto reventarme el trabajo, condenado tártaro?

–No, señor, no lo haré más. ¡Ay, que me hace daño!

–Se le ha dicho mil veces que primero hay que fijar la pieza en el
mandril y después atornillar el trinquete, pero él hace las cosas a su
modo, como le da la gana. Por poco me estropea el eje, hijo de perra.

–Yo no he tocado el eje, señor, le juro por Dios que no lo he
tocado.

El sentido de sus palabras

Además, a la hora de caracterizar a los personajes de acuerdo con su modo de hablar, hay que tener en cuenta el sentido de sus palabras. Pueden hablar de la misma manera, con el mismo tipo de vocabulario y la misma organización del lenguaje, pero opinar diferente, y eso los define. En este sentido, según cómo aborden un tema, podremos deducir su personalidad, sus manías y todos los aspectos que caracterizan a un personaje. El objetivo principal es que cada personaje sea reconocible gracias a su manera de expresarse. Debemos reflexionar sobre qué pretendemos de cada personaje, saber quién es y cómo es, antes de otorgarle una voz. El resultado de una buena elección serán voces que nos permitan no sólo conocerlos, sino reconocerlos.

Podemos trabajar a través del diálogo los siguientes aspectos:

La manera de pensar

El diálogo permite mostrar el hilo de pensamiento de cada hablante frente a un asunto.

Ejemplo:

Tenemos a dos personajes que están de acuerdo en que hay que comer menos carne y lo dicen de la siguiente manera:

–*Templanza necesita este mundo. Principalmente templanza y solidaridad. Cuidado de la Tierra a la que se hace sufrir con violencia y al fin el que sufre es nuestro cuerpo.*

–*Es cierto, nuestro pobre cuerpo que después se carga de colesterol y carnes fláccidas. Hacerte bien a ti es hacer bien al prójimo, pienso yo. Y si una tiene un cuerpo agradable, los que te ven se sentirán gratificados.*

Los dos hablan del mismo tema, pero no dicen lo mismo. El primero habla de la ecología. La segunda habla de la posibilidad y los posibles beneficios de tener un cuerpo atractivo. En consecuencia, pueden detectarse las diferencias entre los personajes.

Un temperamento.

Reforzar la respuesta temperamental del hablante mediante el diálogo nos da la posibilidad de construir una personalidad.

Ejemplo:

Hora de contraatacar. Prades me apuntó con el dedo.

–*¿Quién eres tú? ¿Eh? Dímelo. Yo seré un fracasado, pero tú, ni eso. Un muerto de hambre, un borracho que ni siquiera disfruta bebiendo. Un gabacho de mierda.*

Tino Pertierra, *Toda la verdad sobre las mentiras de los hombres*

La forma de actuar

Determinada actitud o forma de reaccionar ante la misma situación pueden marcar una forma de estar en el mundo.

Ejemplo:

–Pues ¿qué se ha de hacer de la firma? –dijo Sancho.

–Nunca las cartas de Amadís se firman –respondió Don Quijote.

–Está bien –respondió Sancho–, pero la libranza forzosamente se ha de firmar, y esa, si se traslada, dirán que la firma es falsa y quedaréme sin pollinos.

MIGUEL DE CERVANTES, Don Quijote de la Mancha

La expresión de los sentimientos o la ausencia de los mismos

Ejemplo:

En la citada novela Como agua para chocolate, el personaje demuestra, a través de lo que dice, que le interesa más el deber que las emociones:

–¡Siéntate a trabajar! Y no quiero lágrimas. Pobre criatura, espero que el Señor lo tenga en su gloria, pero no podemos dejar que la tristeza nos gane, hay mucho que hacer. Primero terminas y luego haces lo que quieras, menos llorar, ¿me oíste?

La ficha y el esquema de relaciones

¿Resulta creíble? Plantearse la credibilidad del diálogo es una cuestión de importancia absoluta, una condición esencial en la elaboración del mundo novelesco que lo contiene, porque si los parlamentos no son creíbles, el lector abandonará la novela desilusionado. En este sentido, debemos considerar ineludible el control de los dos aspectos siguientes:

· Los parlamentos individuales

La base es la pregunta ¿cómo hablaría mi personaje?, anterior a la puesta en marcha de sus parlamentos. Una voz lleva incorporados una visión del mundo y un repertorio de recursos lingüísticos. Para ello, es conveniente tener claro que lo hará según su profesión, su edad, su origen, sus experiencias, sus objetivos y la situación que vive en cada episodio.

Una vez escritos los parlamentos, el mejor modo de comprobar si lo hemos hecho bien es recurrir a la ficha confeccionada previamente y al esquema de relaciones entre los personajes, según el cual deducimos qué debe transmitir uno al otro.

· El intercambio de parlamentos entre dos o más personajes.

Tener muy claro qué puede y debe decirle un personaje al otro o a los otros.

Para que los personajes resulten auténticos hay que escribir desde los personajes, respetarlos como entidades autónomas, no dejarnos llevar por nuestras propias posibles reacciones o sistema de pensamiento.

La voz de los secundarios

¿Cómo podemos conseguir que otros personajes (secundarios y con pocas intervenciones habladas) resulten visibles y fáciles de reconocer?

Se puede recurrir a particularidades provenientes de la característica principal del personaje en cuestión, como el uso de palabras rimbombantes; de vulgarismos fonéticos que suelen utilizar los niños pequeños; etcétera.

El interlocutor

Para que el lector capte la historia y se interese por el avance de la misma, debe justificarse la presencia de un locutor, pero también la del receptor: el interlocutor. Más aún, la vinculación establecida entre los interlocutores debe abrir un interrogante al lector y demostrar que sólo ellos son los apropiados para construir la escena de la cual participan, así sea su intervención muy breve o extensa.

La elección de un interlocutor debe ser:

a) De carácter general: dictada por las necesidades externas, por la situación y por el tema. En este plano, el interlocutor puede estar presente, omitido o ser mudo.

b) De carácter específico: dictada por las necesidades internas, específicas de ese diálogo único en el que ha de ser él el que intervenga y no podría ser otro.

Un hablante se dirige a un interlocutor con una intención determinada; el interlocutor le responde también de diversas formas, llamando más o menos la atención.

La intención del hablante

Puede informar, intentar convencer, insinuar, desmentir, afirmar, negar, preguntar, etcétera. Además, esa intención puede tener una mayor o menor carga emocional y, sumada a la respuesta, da como resultado un tipo de atmósfera para el relato correspondiente.

A muchos escritores les facilita la tarea trazarse previamente un cuadro de intenciones y sus correspondientes marcas referidas al discurso:

Intenciones del personaje	*Lenguaje apropiado*
Mentir, simular	Meloso, almibarado Numerosos adjetivos Preciso, si sabe o si no sabe

El interlocutor omitido

Se puede escribir un diálogo con un locutor presente y un interlocutor ausente, pero sugerido, que se percibe o se conoce por las pautas que de él da el hablante: gracias a las palabras de una de las partes, el lector se imagina perfectamente las respuestas o comentarios de la otra, que pueden indicarse con signos o sin ellos.

Ejemplo:

El parlamento omitido se señala por medio de puntos suspensivos.

... Espero no haberla molestado, señora. ¿No estaría dormida, verdad? Es que acabo de llevarle el té a mi señora y había sobrado una tacita tan rica que he pensado que quizá...

... *No, en absoluto, señora. La taza de té siempre es lo último de todo. Se la toma en la cama, después de las oraciones, para entrar en calor. Pongo el hervidor al fuego en cuanto se arrodilla y siempre le advierto: «No hace falta que se dé mucha prisa en decir sus oraciones». Pero el agua siempre rompe a hervir antes de que mi señora haya llegado a la mitad de sus rezos. Verá usted, señora, como conocemos a tanta gente y hay que rezar por todos, por todos, mi señora tiene un librito rojo en el que anota la lista de los nombres por los que tiene que rezar. [...]*

...Ahora mismo cuando la he arreglado y la he visto... acostada, con las manos fuera y la cabeza sobre la almohada, tan hermosa, no he podido evitar pensar: «Ahora está igualita que su querida madre cuando la amortajé».

KATHERINE MANSFIELD, *La doncella de la señora*

7

¿Diálogo o narrador?

Entre las voces narrativas, el diálogo es la que permite la mayor autonomía e independencia de los personajes.

¿Cuál es la vinculación entre el narrador (la voz narrativa que expone) y esa especie de cambio de ritmo en la narración que supone el diálogo? Coordinar y compensar la voz narrativa y los diálogos es un aspecto ineludible. ¿También está presente un narrador cuando los personajes hablan directamente en un relato?

Quién ostenta el poder en el texto

Las relaciones entre voces habladas y voz narradora son diferentes según el tipo de narrador de que se trate. Los dos extremos posibles son:

a) un narrador implicado, que forma parte de la acción como sujeto o como espejo y cuya conciencia está ligada al desarrollo de los acontecimientos;

b) un narrador no implicado en la situación.

En el primer caso, podría ser un narrador protagonista, que participe incluso de los diálogos; en el segundo, un testigo que no hace ninguna acotación.

Si el que presenta el diálogo es un testigo, podrá estar

a menor o mayor distancia de los interlocutores, escuchar menos o más, saber menos o más.

Dice Ford Madox Ford acerca de la preocupación de Joseph Conrad frente a la composición de los diálogos: «O se cuenta directamente, como narrador, o se pone en boca de los personajes, más fácil, pero más complicado. Sea como fuere tenemos que enfrentarnos con la cuestión de informar o de escribir diálogos, de los cuales el lector recuerda después alguna frase destacada y un estilo del hablante. Una regla invariante que teníamos para la composición de las conversaciones auténticas (no preguntas ni informes) era que no hay ninguna forma de hablar de un personaje que pueda jamás contestar lo que ha dicho otro antes que él. La gente que escucha es poca, todos están casi siempre preparando lo que van a decir a continuación: en conjunto, el sistema indirecto, entrecortado, de llevar las entrevistas, es de gran valor para dar una impresión de la complejidad, el tormento, el resplandor, la niebla, que constituyen la vida».

El grado de intervención

El narrador puede tener una menor o una mayor intervención en la historia. Conviene distinguir dónde recae el peso del significado y buscar el equilibrio necesario a la intriga que deseamos plantear.

El siguiente ejemplo:

–*Vine a despedirme –dijo Amalia.*

marca una gran diferencia con respecto a este otro:

—Vine a despedirme —dijo Amalia, presintiendo que su marido no le diría lo que sentía, ni siquiera ante su inminente partida.

En el segundo, el posible problema a analizar es que el narrador le hace sombra al diálogo y puede convertirlo en una mera ilustración. Si el tratamiento elegido es el diálogo, el narrador que se esconde detrás (y el escritor mismo) no deben hacer comentarios u opinar; la discreción es lo que cabe. Es decir, emplear una voz narrativa psicologista que hable de los personajes al margen de lo que ellos pretenden mostrar desequilibra la novela o el cuento.

Por lo tanto, debemos preguntarnos si la intensidad de la escena, su sentido, depende de las voces de los personajes o de la del narrador y respetar la extensión de las intervenciones según la respuesta.

Las informaciones sobre un personaje han de ofrecerse con sutileza mediante el diálogo: no se trata de presentar la biografía detallada ya que, además de ser aburrida, resta toda emoción.

Contraste entre las modalidades

Aparentemente, el discurso expresado por un narrador es más reflexivo, el lenguaje empleado más «literario»; el del diálogo, en cambio, responde a las características del lenguaje oral, la improvisación del mismo hace que parezca menos elaborado. Por ello, el riesgo de su uso es mayor que el de la voz del narrador que puede jugar más con los giros del lenguaje «literario».

Lo más común es combinar ambas modalidades.

En este último caso, los personajes pueden hablar con el mismo estilo del narrador o cada personaje estar individualizado por las características de su estilo personal y así no sólo se diferencia del narrador, sino también de los otros personajes.

En cualquier caso, debemos saber por qué lo hacemos de una u otra manera: la elección no debe ser la que nos resulte más cómoda, sino la más adecuada para la escena que estamos tratando, siempre vinculada a la trama total.

Usar el narrador más adecuado

¿Cuándo es más conveniente usar el diálogo y no otra clase de narrador? En los casos en que contar los hechos o dar la información a través de un narrador resultaría demasiado farragoso o detendría la acción. Entre todos los narradores existentes, el más adecuado sería así el protagonista, que cuenta lo que a él le pasó, más directo en apariencia que lo que alguien vio, le contaron, imagina o sabe. Pero, más que el protagonista a solas, es el protagonista dialogando con otro lo que aportará dinamismo a ciertas historias, por ejemplo, las de aventuras en las que el diálogo es una herramienta imprescindible.

Veamos la posible diferencia transformando un diálogo de *La náusea*, de Jean-Paul Sartre, en prosa narrativa. Se observa que el primer texto es más ágil, una descripción puesta en boca de un hablante en un diálogo es más dinámica que como parte de una prosa:

Texto original:

—¿Vio usted ese Cristo de piel que está en Burgos? Hay un libro muy curioso, señor, sobre esas estatuas en piel de animal, y hasta en piel humana. ¿Y la Virgen negra? ¿No está en Burgos? ¿Está en Zaragoza? ¿Pero no hay acaso una en Burgos? Los peregrinos la besan, ¿no es cierto?

Texto transformado en prosa:

Hay un Cristo de piel en Burgos. Existe un libro muy curioso sobre esas estatuas en piel de animal, y hasta en piel humana. Y la Virgen negra está en Burgos o en Zaragoza. Pero se supone que hay también una en Burgos. Los peregrinos la besan..

Cómo lo empleamos

Al elegir el diálogo como uno de los mecanismos de nuestro relato, debemos decidir también cuándo conviene su inclusión; cuándo un personaje debe hablar y cuándo debemos dejar paso al narrador. Así, dentro de la totalidad del relato, debemos considerar una serie de aspectos relativos al diálogo para que el conjunto resulte significativo:

• La proporción

Se puede utilizar el diálogo como estrategia para articular la estructura del conjunto en distintas proporciones y en forma muy breve o extensa: un cuento o una novela pueden estar desarrollados parcial o totalmente en forma de diálogo.

Los diálogos pueden ser mínimos, como en *Green*, de Manuel García Rubio; profusos, como en *Con las mujeres no hay manera*, de Boris Vian; pueden aparecer en ciertos momentos específicos de la trama, como en *Caballeros de fortuna*, de Luis Landero, o cubrir la totalidad.

• La distribución

Si su inclusión es parcial, pueden aparecer agrupados en una parte del contexto, en ciertos fragmentos de los capítulos, como ocurre en *Solsticio*, de Joyce Carol Oates, o alternando constantemente diálogo y narrador, que es la forma más común.

• La extensión

La extensión de un diálogo depende de la participación que del personaje correspondiente exija el relato; los parlamentos pueden ser muy breves (hasta de una sola palabra) o muy extensos. La extensión puede caracterizar a un personaje. Un buen ejemplo, es *Carlota Fainberg*, de Antonio Muñoz Molina, novela en la que se establece un contraste entre el diálogo casi inexistente de un personaje (es también el narrador y, cuando las hay, sus respuestas son muy breves) y el extenso del otro (hasta más de dos páginas), mecanismo justificado por las características de la situación en la que el primero dice que es incapaz de relacionarse en los viajes (el diálogo se desarrolla en un aeropuerto), pero escucha cada vez más interesado el relato del segundo, típico conversador que se «confiesa» en sitios como los aeropuertos.

Para comprobar que la trama avanza, es conveniente dejar de escribir durante un rato y reflexionar acerca de quién debería contarlo para que el impacto sea mayor (¿el mismo personaje o un narrador?), y qué extensión debe tener cada parlamento.

8

Tema, lugar y diálogo

Localizar el tema es asunto de toda narración y no lo es menos en el territorio particular del diálogo. La estructura interna de un diálogo tiene como condición previa la existencia de un tema compartido, de un lugar de conflicto, de una zona de riesgo. Tanto este aspecto como el lugar por donde transitan y el tiempo en que viven los personajes se pueden definir mediante el diálogo y, a su vez, lo definen.

Cada situación implica un tema

En un diálogo, los personajes suelen hablar de lo mismo, desde un mismo ángulo o desde visiones distintas giran en torno al mismo tema.

Y así como los personajes cambian a medida que el diálogo avanza, también entre el principio y el final del diálogo el tema se transforma. Un tema general incluye varios subtemas que se desgranan en la conversación.

A cada situación de un mismo episodio pueden corresponder diferentes subtemas. Desarrollarlos implica ofrecer al lector una serie de informaciones organizadas de una determinada manera. En este caso, la información está incorporada en los parlamentos de los personajes y/o en las acotaciones del narrador. Por ejemplo, el tema puede ser el amor y los subtemas el viaje, el encuentro, los celos, los malentendidos, etcétera.

Es conveniente tomar nota del tema y los subtemas de cada situación para comprobar si la información dada no es excesiva o escasa.

Si nuestro diálogo se complementa con la descripción o el discurso del narrador, debemos asegurarnos de que la información de unos y otros no se superpone ni se contradice.

Enfoques del tema

El diálogo puede informar únicamente o transmitir emoción.

En la situación previa al diálogo, cuando se ambientan los personajes y se plantea el conflicto, un narrador puede informar sobre los sentimientos, el estado emocional que embarga a los personajes; de lo contrario, si no hay información previa, a través del diálogo será necesario dar alguna pista al lector, siempre de un modo sutil y creíble.

Así, el tema del cuento o la novela, vinculado al enfoque otorgado, nos exigirá trabajar el diálogo de una u otra manera: informando, transmitiendo sentimientos o ambas posibilidades a la vez.

Ejemplo 1:
Tema: la figura del detective; enfoque: policiaco; transmisión de información:

—Así que usted es un detective —dijo—. No sabía que existiesen

realmente, excepto en los libros; o bien que eran grasientos hom-
brecitos espiando alrededor de los hoteles. [...]

–¿Qué le parece papá?

–Me gustó –contesté.

–Quería a Rusty. Supongo que sabe usted quién es Rusty.

–¡Pchs!...

–Rusty era ordinario y vulgar a veces, pero era muy sincero.
Resultaba muy divertido para papá. Rusty no debía haberse
marchado así. Papá está muy dolido, aunque no lo diga. ¿O se
lo dijo?

–Algo de eso dijo.

–No es usted muy hablador, míster Marlowe. Pero quiere
encontrarlo ¿no es eso? [...]

–Pues sí y no.

–Eso no es una contestación. ¿Cree que puede encontrarlo?

–Yo no dije que lo iba a intentar. ¿Por qué no se dirige a la
Oficina de Personas Desaparecidas? Tienen una organización
eficiente. Eso no es tarea para una persona sola.

RAYMOND CHANDLER, *El sueño eterno*

Ejemplo 2:

Tema: la añoranza; enfoque: amoroso; transmisión de
sentimientos:

–¿Le quieres mucho? –pregunté por fin.

–No lo sé. Acaba con mi paciencia. Me exaspera. Y le echo de
menos continuamente.

W. SOMERSET MAUGHAM, *El filo de la navaja*

El estereotipo

Las novelas costumbristas o naturalistas presentan, en vez de parlamentos que identifican al personaje, voces estereotipadas que se corresponden con tipos sociales. Dice Alejo Carpentier: «Para mí el diálogo, tal como podemos hallarlo en cualquier novela realista, es casi siempre artificial y ampuloso. Así, el diálogo que escuchamos en la comedia burguesa de comienzos de siglo ha pasado al relato con sus fórmulas hechas y sus mecanismos convencionales. A tal pregunta debe seguir, lógicamente, tal respuesta; a tal respuesta tal reacción psicológica. Las palabras saltan de boca en boca como pelotas de tenis, y cada uno de los jugadores sabe cuál es el raquetazo que corresponde a determinadas trayectorias.

»Yo aconsejaría el experimento siguiente: ocúltese el micrófono debajo de un mueble cuando varias personas están conversando despreocupadamente y examínese el resultado, reloj en mano. Se verá con sorpresa (a menos que se trate, desde luego, de una conversación dirigida y orientada, de un coloquio sobre una cuestión concreta) que ningún tema de conversación se sostiene durante más de dos o tres minutos. Las palabras corren de la Ceca a la Meca, por mecanismos de asociación de ideas, en tránsitos que a veces no duran ni treinta segundos. Se pasa con vertiginosa rapidez de la enfermedad de un amigo a la exposición canina, al estreno de una obra, a las carreras de caballos, al último libro leído, a las bellezas de la filatelia, a los amoríos de fulano, al suceso del día, a la compra ventajosa que se puede hacer en una tienda cercana... Pero eso no es todo; el lenguaje hablado procede por elipsis. Los interlocutores se entienden a medias palabras en virtud del mutuo conocimiento de ciertos tópicos.

»Los diálogos novelísticos me horrorizan porque no corresponden a ninguna realidad».

Una prueba

Para comprobar si el tema que queremos desarrollar preside la conversación de los personajes, podemos eliminar parte de los parlamentos, como hace Enrique Jardiel Poncela, en *El libro del convaleciente*, y averiguar si un lector podría adivinar el sentido general de la historia, el tema principal:

Y fue en aquel mismo día, cuando Sherlock Holmes acudió a su palacio llamado por el Lord Mayor, sir Cachemiro Somerset, quien le rogó que tomara cartas en el asunto.

El diálogo entre ambos hombres tuvo una brevedad y un contundismo genuinamente ingleses. Los dos eran tan inteligentes que adivinaban lo que iban a decirse, y tanto por parte del Lord como por parte del detective, ninguno se vio en la necesidad de acabar las frases que sucesivamente iban comenzando.

El Lord.– Mi admirado Holmes: esto no puede ser...

Sherlock.– Verdaderamente. Y supongo que he sido llamado pa...

El Lord.– Eso es. Preciso que en el plazo de cin...

Sherlock.– Antes de esa fecha habré lo...

El Lord.– Lo celebraré en nombre de todo Lon...

Sherlock.– Sí. La ciudad está ate...

El Lord.– Con razón, porque esto es im...

Sherlock.– De acuerdo. Desde ahora mis...

El Lord.– ¡Gra...

Sherlock.– De nada.
Y Sherlock Holmes abandonó el palacio del Lord Mayor.

El lugar

El lugar donde transcurre la conversación nos permite ambientar la situación, aumentar el clima de expectativa, prometer un cambio o un suceso especial. Puede ser nombrado o no por los hablantes. Es decir, podemos saber dónde están los personajes y no comunicarlo al lector o comunicárselo durante el diálogo mismo.

Posibilidad a)
   Según en qué lugar se encuentren los personajes, así hablan. Mecanismo a tener en cuenta: la ambientación prepara el diálogo. No se desarrollará igual un diálogo al aire libre que en un espacio interior. Si es al aire libre, no es lo mismo en un jardín que en la playa o que en un cementerio. Si es en un espacio interior, no provocará las mismas respuestas un coche que un hotel.

Posibilidad b)
   Explicar en qué lugar se desarrolla la escena a través del diálogo. Mecanismo a tener en cuenta: los sitios nombrados por los personajes pueden abrir el suspense o prometer algún suceso. Si nombran una estación o un aeropuerto, insinúa una despedida o un encuentro; la prisión o una vía abandonada pueden conducir al misterio.

9

¿Herramienta o trampa?

Sin duda, el diálogo es una magnífica herramienta para narrar, definir, situar, dramatizar. Como hemos visto, cumple funciones específicas, nos permite interesantes operaciones, pero debemos tener presente que puede crearnos complicaciones e inconvenientes si se utiliza arbitrariamente. Muchos relatos de principiantes suelen presentar unos diálogos en que los personajes hablan como si recitasen frases mecánicas o largas parrafadas explicativas que –más aún cuando el resto del relato es bastante bueno– entorpecen el desarrollo de la acción.

Es conveniente reflexionar sobre diversos aspectos vinculados a la construcción, el tipo de discurso, etcétera, que enumeramos a continuación y que se resumen en la siguiente idea: todo diálogo que se pueda eliminar sin que cambie el sentido ni flaquee el ritmo del relato, hay que eliminarlo.

Beneficios

La buena utilización del diálogo permite los siguientes resultados:

• Otorga credibilidad

Solemos utilizar el diálogo para hacer más verosímil la historia narrada, al ser los mismos personajes, sin ningún tipo de intermediarios, quienes informan de los hechos.

· Perfila un argumento.

Lo que una persona le dice a otra –qué, cuándo y cómo se lo dice– no sólo determina el argumento, sino que produce variaciones en él.

· Muestra aspectos particulares de los personajes

En realidad, lo que conseguimos con el diálogo es verlos a través de sus voces. Por lo tanto, es un método efectivo para darlos a conocer sin explicaciones adicionales.

Riesgos: los problemas más comunes

Se puede establecer una clasificación atípica de diálogos tomando como base los problemas que pueden presentar. Sin embargo, debemos tener en cuenta que, en ocasiones, el diálogo que resulte problemático en un determinado contexto, podría ser adecuado en otro. Por lo tanto, lo que se acepta como error o problema en un caso puede ser un hallazgo en otro. A menudo, cuando pasa esto, es que hay una falta de motivación e intencionalidad por parte del personaje.

Los problemas más habituales son:

• Diálogo excesivamente literario

Es el que pone énfasis en el texto para ser leído, depende de las reglas gramaticales, mientras que el diálogo para ser hablado se construye a base de coloquialismos, abundantes en incorrecciones gramaticales. Ni uno ni el otro puros son aconsejables sin una justificación. Tampoco es bueno producir la impresión de un texto muy pulido, sino la de una conversación espontánea.

• Diálogo ampuloso

Consiste en emplear una forma de hablar afectada, solemne o propia del lenguaje administrativo, apto en ciertos medios laborales, y que en determinados ejemplos, como el que sigue, sería correcta para un personaje cómico o patético:

—*Me complace decirte que te he traído este regalo porque te has portado muy bien conmigo y me inunda la emoción.*

• Diálogo incompleto

Es el diálogo construido con frases muy cortas que expresan poco:

—*Tengo frío.*
—*Yo no.*
—*Cierra la ventana.*
—*Ahora mismo.*
—*Gracias.*
—*Ponte un abrigo.*
—*¿Tú no quieres uno?*

• Diálogo reiterativo

Consiste en reiterar lo mismo de maneras diferentes. Sólo debemos reiterar la información si es estrictamente necesario para destacar un detalle, fijar una fecha o definir un carácter. De lo contrario, la redundancia no aporta nada nuevo y diluye la intensidad.

• Diálogo demasiado extenso

Consiste en alargar demasiado los parlamentos. Un relato excesivo fatiga al lector; esto ocurre cuando un personaje explica su biografía, sus problemas, como si de un discurso se tratara.

• Diálogo indiferenciado

Es aquel según el cual todos los personajes hablan igual. No existen diferencias de personalidad. Es válido este diálogo si queremos crear un mundo homogéneo, de ciencia-ficción, por ejemplo.

• Diálogo inútil

Cuando los personajes no aportan nada al avance de los hechos, a la definición de un estado, a la resolución de un conflicto.

• Diálogo imposible

Es el diálogo artificioso, al que parece que le faltara algo, que no parece real aunque formalmente sea correcto. En general, este problema se debe a que no está definida la motivación del personaje y, en consecuencia, la intencionalidad del diálogo.

Diálogo elocuente «versus» diálogo pobre

La elocuencia es la facultad de escribir (o hablar), y es la fuerza de expresión que tienen las palabras, para deleitar o conmover. Elocución es el modo de elegir y distribuir las palabras y los pensamientos en el discurso. Precisamente, un diálogo elocuente se consigue, entre otros medios, gracias a una adecuada elección y distribución. Un diálogo pobre (en el que la elocuencia brilla por su ausencia) es aquel que, también entre otros factores, abusa de las palabras, explica lo que no es necesario explicar, no permite al lector deducir características del ambiente, modos de ser del personaje, ni suponer qué va a suceder o percibir la tensión o la felicidad en el ambiente. En suma, es un diálogo que no insinúa ni promete. Como consecuencia, el lector se aburre más que escuchando a dos personas hablar en voz alta de un tema intrascendente.

Ejemplo:
    El diálogo elocuente:

–¿Qué buscas?
–Las espuelas.
–Están colgadas detrás del escaparate –dijo ella–. Tú mismo las pusiste ahí el sábado.
                GABRIEL GARCÍA MÁRQUEZ, *La mala hora*

Observación

La información está sintetizada. Da cuenta del carácter despistado del personaje y del papel que desempeña su mujer en su vida dentro de un ámbito particular en el que las palabras «espuelas» y «escaparate» son determinantes.

El diálogo pobre:

—Juan, despierta, levántate de la cama o llegarás tarde a la escuela y perderás la primera hora de clase.
—No quiero ir a la escuela.

Observación

No presenta un proceso de síntesis. No aporta más información que la que expresa: una madre que intenta despertar a su hijo (y que explica más de lo que es necesario explicar: «despierta» y «levántate de la cama» son informaciones similares; «llegarás tarde a la escuela» y «perderás la primera hora de clase», también lo son); y un hijo que no quiere ir a la escuela.

> Para conmover y mantener el interés del lector, un diálogo debe ser dinámico, incluir datos significativos o contrastantes entre sí.

Catorce pasos a seguir

Los siguientes pasos concretos a tener en cuenta, emergentes de los distintos aspectos tratados a lo largo de los capítulos anteriores, son:

1. Precisar la intención del relato.

2. Confeccionar fichas completas de los personajes: si sabemos quiénes son, sabremos cómo hablan.

3. Decidir si la ambientación prepara el diálogo o del diálogo surge la ambientación: saber la causa de nuestra elección.

4. Dosificar la información: no acumular una serie de informaciones capitales en forma de inventario, de una forma explicativa y directa, sino diluirlas a lo largo de distintos parlamentos.

5. No puntuar el diálogo con interjecciones o interrogaciones si estos signos no son absolutamente necesarios.

6. El diálogo debe ser real para nosotros mismos y creíble para el lector.

7. No recurrir a nuestra experiencia personal sino a la personalidad inventada, que no pertenece a la realidad y es independiente del escritor.

8. No hacer dialogar en vano a los personajes durante más tiempo del que exige el episodio.

9. No abusar del verbo *decir*. Limitar el uso de los verbos *dicendi* en el estilo directo, siempre que su eliminación no dé lugar a equívocos.

10. No informar al lector a través de los parlamentos sobre la biografía de los personajes (salvo que uno de los personajes necesitara dicha información): sería un mecanismo falso, dado que los que hablan entre sí ya conocen quién es el otro.

11. Evaluar si en una escena sobran o faltan diálogos.

12. Controlar los dialectos, si los utilizamos debemos intentar que el lector pueda interpretar correctamente sus significados.

13. Intercalar el verbo *decir*: «dijo», «decía», «dice», con los vocablos precisos, sobre todo cuando el personaje hace algo o lo dice de cierta manera.

14. Intentar mostrar las emociones que embargan al hablante, no señalarlas simplemente.

Comprobar si un diálogo es el adecuado

Si bien la escritura de los diálogos es un acto que fluye y no podemos detenernos ante cada parlamento para hacernos preguntas, saber cuáles son las básicas, las que podríamos formularnos, nos hace más conscientes durante el desarrollo de dicha escritura. Alguna de estas preguntas debemos repetirlas varias veces en el proceso de «dialogar» una novela.

¿De dónde surge un diálogo? En primer lugar, nos encontramos con los dialogantes; en segundo lugar, analizamos y decidimos su discurso.

Acertar con los dialogantes

Hay dos caminos principales para llegar al diálogo:

a) Se nos ocurre una idea, la desglosamos en unos cuantos parlamentos posibles que todavía no sabemos a quién atribuiremos ni cómo.

El método de invención (preguntas creativas a formularnos):

¿Lo dice él o lo dice ella?

¿El protagonista o un secundario?

¿Por qué este y no otro?

¿En qué momento de su vida lo dice?

¿Qué lugares atraviesa?

b) No tenemos el eje principal, pero intuimos que cierto personaje con ciertas características diría algo de determinada manera en determinado momento. Podría ser que necesitemos respondernos algo a nosotros mismos y no sepamos hacerlo. Entonces colocamos a un personaje en una situación vinculada a nuestra incógnita y lo investigamos, para lo cual lo hacemos hablar, preguntar, confesar, etcétera.

Acertar con el diálogo

Una vez que sabemos quién hablará, cuándo y dónde, lo que debemos saber es para qué. Encontramos la respuesta en el contexto y la situación. Entonces: ¿para qué dice lo que dice? Si no encontramos la respuesta, ese parlamento podría no ser correcto.

Podemos plantearnos las siguientes cuestiones:

a) Tengo un personaje en una situación de conflicto: ¿Qué palabras debe decir para que la tensión no se diluya? ¿Un parlamento breve o extenso? ¿Qué tipo de vocabulario: mayoría de sustantivos o de verbos?

b) Un personaje de mi relato necesita determinada información: ¿La pregunta?, ¿la obtiene casualmente? ¿Cuál de estos mecanismos me ofrece mayor economía en la situación?

c) Y en cuanto a un estado emocional: ¿Lo adivina otro personaje? Éste lo llama y se lo cuenta?

d) Un personaje lanza un exabrupto: ¿Cómo reacciona el interlocutor? ¿Permanece mudo? ¿Lo agrede?

La resolución de las preguntas depende de cuál sea el camino por donde me lleve la respuesta. Debo tener claro previamente si ese camino corresponde a una larga carretera o a un atajo, y con qué nueva situación enlaza.

Escucharlo

Otro modo de comprobación puede ser leer el diálogo en voz alta. Si se nos revela artificial, rebuscado, poco significativo, inadecuado, es preferible escribir uno nuevo en lugar de corregirlo para que tenga esa pulsión que todo buen diálogo debe tener y que en este tipo de estrategia generalmente se consigue con una escritura de un tirón. Facilita la tarea el decir en voz alta lo que deberían decir los personajes, es un buen truco para percibir cómo debe expresarse un personaje, qué palabras no podría decir en ningún caso y cuáles le parecerían torpes al lector. Otro truco útil es atribuir sus voces a gente real, alguno de ellos podría hablar como alguien a quien vemos frecuentemente en nuestro entorno. Pero es aconsejable mezclar rasgos de distintas voces reales en un mismo personaje.

Por último, es conveniente revisar el diálogo en el contexto general de la novela. Si la novela está compuesta por diálogo y prosa narrativa, podemos separar todo el material correspondiente al diálogo procurando establecer la comparación y el contraste de los parlamentos entre sí; la coherencia entre cada personaje y su voz; el juego entre diálogo y prosa.

Un relato —novela o cuento— con una buena idea productora, bien desarrollado, con una voz narrativa adecuada e impecables descripciones, puede fracasar como conjunto a causa de la pobreza de sus diálogos.

Índice

Introducción 9

1 El diálogo narrativo 11
2 Clases de diálogo 27
3 Formas de representación 43
4 El arte del inciso 49
5 Los recursos lingüísticos 61
6 El personaje se muestra 71
7 ¿Diálogo o narrador? 85
8 Tema, lugar y diálogo 93
9 ¿Herramienta o trampa? 99

OTROS TÍTULOS EN ESTA COLECCIÓN

· *Curso práctico de poesía*

Un método sencillo para todos los que escriben poesía, o aspiran a escribirla

· *Cómo crear personajes de ficción*

Una guía práctica para desarrollar personajes convincentes que atraigan al lector

· *El oficio de escritor*

Todos los pasos desde el papel en blanco a la mesa del editor

Este libro se acabó de imprimir en octubre de 2001

en los talleres de Liberdúplex, s.l.

C/ Constitución, 19

08014 Barcelona